À la mémoire de Régis Messac

COLLECTION « GENRES ET DISCOURS »

directeurs : Marc Angenot et André Belleau

Une collection de monographies consacrée à la description morphologique et à l'analyse socio-historique des différents genres littéraires et, plus généralement, de formations discursives, sans exclusive de culture ou d'époque.

À la fois lieu de synthèses critiques et source d'hypothèses et d'orientations nouvelles, la collection veut contribuer au développement de la sémiologie des discours et de l'analyse idéologique.

LE ROMAN POPULAIRE

Recherches en paralittérature

DU MÊME AUTEUR

Glossaire de la critique littéraire contemporaine, Montréal, HMH, 1972, 122 pages.

LE ROMAN POPULAIRE
Recherches en paralittérature

PAR MARC ANGENOT

1975
LES PRESSES DE L'UNIVERSITÉ DU QUÉBEC
C. P. 250, Succursale N, Montréal, H2X 3M4 Canada

LES RECHERCHES QUI ONT CONDUIT À LA RÉDACTION DE CET OUVRAGE ET SA PUBLICATION ONT ÉTÉ RÉALISÉES GRÂCE À UNE SUBVENTION ACCORDÉE PAR LE CONSEIL CANADIEN DE RECHERCHES SUR LES HUMANITÉS ET PROVENANT DE FONDS FOURNIS PAR LE CONSEIL DES ARTS DU CANADA.

La conception graphique de la couverture
est de GEORGE JAHN.

AVANT-PROPOS

Le présent recueil est composé de quelques chapitres inédits et d'un certain nombre d'articles publiés entre 1968 et 1972, articles qui ont en commun un même objet, d'ailleurs difficile à circonscrire : la production romanesque paralittéraire de l'Empire à la Première Guerre mondiale. On verra tout de suite que plusieurs méthodes ont été tour à tour exploitées, de l'étude socio-historique à l'analyse sémiotique de certains romans. Cette diversité tient à la nature du domaine abordé. Celui-ci est à la fois extrêmement vaste et bien peu exploré : nous n'y avons tracé que quelques pistes. La paralittérature s'inscrit en dehors de la clôture littéraire comme une menace, une production tenue en respect, mais riche de motifs idéologiques et de pratiques rhétoriques qui, dans la culture officielle, sont refoulés.

Nous avons essayé de montrer cependant, comment certains thèmes et certains procédés paralittéraires ont pu *s'épancher* dans la production littéraire « reconnue ».

En français, un certain obscurantisme a fait longtemps négliger les problèmes que nous soulevons, et la bibliographie présentée à la fin de ce livre paraîtra à bien des égards décevante.

La production paralittéraire exige par sa nature même une approche globale où devraient être mises à contribution les méthodes de l'histoire sociale, de l'enquête factuelle, aussi bien que celles de l'analyse sémiotique et idéologique et de la théorie des genres. Puisse le présent ouvrage, si imparfait et incomplet qu'il soit, constituer un stimulant pour d'autres qui entreprendront à leur tour de débroussailler ce domaine touffu. L'étude des faits paralittéraires est peut-être de nature à faire vaciller la masse des préjugés de l'idéologie littéraire dominante.

Les différents chapitres de ce recueil d'essais divisé en deux parties s'ordonnent de façon très simple : le chapitre premier de la première partie est une introduction méthodologique générale en même temps qu'un cursif « état présent » des recherches. Le chapitre II, « le Roman populaire à l'âge industriel », présente un panorama sociohistorique général de la production romanesque de masse, du premier Empire à la Grande Guerre. Le chapitre III étudie le roman noir en France, en tant qu'origine du feuilleton réaliste. Au chapitre IV, nous proposons une description formelle des invariants dominants du genre narratif que nous essayons de circonscrire. Cette description se trouve prolongée par les trois études qui suivent et qui forment les chapitres I à III de la deuxième partie. En étudiant *les Mystères de Paris*, le roman « revanchard », et *Fantômas*, nous développons et illustrons certaines thèses avancées aux chapitres précédents.

Le volume se termine par une bibliographie générale des recherches en paralittérature, bibliographie dont le champ d'étude est, dès lors, plus étendu que celui des écrits analysés dans l'ouvrage. Cette bibliographie, toutefois, est la première de son genre. Elle permettra au lecteur de se référer à des recherches analogues aux nôtres mais aussi à l'ensemble des travaux qui portent sur la paralittérature au sens large.

Le chapitre premier de la première partie est paru dans *Études littéraires*, Québec, 1974. Le chapitre II a été publié dans *Forum de l'Université de Bruxelles*, n° 17, 1970. Le troisième figure, sous une forme un peu différente, dans *la Pensée et les Hommes*, Bruxelles, n° 2, 1972. Le chapitre IV de la première partie figure dans la *Revue de l'Université de Bruxelles*, n° 1-2, 1974. Les chapitres II et III de la deuxième partie sont inédits. « Roman et idéologie » (chapitre premier de la deuxième partie) a été publié par la *Revue des langues vivantes*, Liège, n° 4, 1972.

Nous avons apporté quelques modifications et additions aux textes originaux. D'inévitables répétitions ont été supprimées. Enfin, certains passages d'un autre essai, « le Héros du roman populaire » (*Zagadnienia Rodzajów Literackich*, Lódz (XIV, n° 2, 1972), ont été intégrés aux chapitres II et IV de la première partie. La bibliographie qui clôt le recueil a constitué primitivement le numéro 3 des *Documents* (année 1969) du « Centre interuniversitaire d'étude de la paralittérature », à Montréal.

M. A.

Montréal, juin 1972

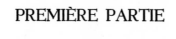

PREMIÈRE PARTIE

CHAPITRE PREMIER

QU'EST-CE QUE LA PARALITTÉRATURE ?

Une polysémie

« Roman populaire », « littérature de masse », « roman-feuilleton », « roman de quat'sous » (les Américains diront « dime novel »), « infra-littérature »... : il est un vaste domaine de la production imprimée exclu du monde de la culture, domaine aujourd'hui encore peu étudié et qui reste assez mal circonscrit.

Tous les termes que nous venons de citer, dont les aires d'application se chevauchent, ont pour référent une masse hétéroclite d'objets cultu-rels qui semblent n'avoir d'autre chose en commun que leur absence prétendue de valeur « esthétique ».

Les modes de caractérisation trahissent l'embarras : « roman-fleuve », « soap opera », « roman-feuilleton » se réfèrent à la dimension et au procédé de publication de l'œuvre, — encore qu'on ait nommé « feuilletons » des récits qui n'avaient jamais paru sous cette forme. « Roman pour bibliothèques de gare », « roman pour concierges », « roman pour midinettes » renvoient au mode de distribution et au type de consommateur ; ces trois expressions, au reste, sont désuètes. Notons que la plupart de ces termes portent condamnation implicite et juge-ment négatif *a priori*. Ajoutons que, loin de se superposer, ils dénotent des idéologies variées, ils s'insèrent dans des paradigmes dont ils re-çoivent leur portée véritable.

L'expression de « roman populaire » semble celle dont l'extension a été pendant longtemps la plus large. Elle est pourtant ambiguë, elle aussi. On n'en finirait pas avec les équivoques du mot « populaire » appliqué à un objet culturel. « Théâtre populaire » ne résonne pas comme le fait « roman populaire ». La « littérature populaire », pour les ethnologues, c'est avant tout la littérature orale, traditionnelle. Quelle place le « roman populaire » a-t-il dans la « culture ouvrière » ou ce que certains socialistes nomment « culture prolétarienne » ?

Oscar Lewis (la Vida) parle de « sous-culture », résultant d'une absence d'intégration à la société globale. Aussi rencontre-t-on « sous-littérature » ; nous y reviendrons.

Notons enfin que l'expression de « romancier populaire » apparaît pour la première fois dans la presse socialiste pour faire l'éloge des Mystères de Paris (1843) : l'adjectif a donc pu posséder un sens positif et valorisant qui s'est rapidement effacé.

Un flottement analogue se constate en anglais, où le champ que nous essayons de circonscrire se trouve chaque fois partiellement recouvert par des expressions comme « popular fiction », « dime novel », « literature of entertainment », « sensation novel », « rogue literature », « pop literature », « word that refers to the degree of its accessibility to the reader [1] ». Le lexique allemand est lui aussi flou et polysémique : « Konsumliteratur », « Massenroman », « Roman-feuilleton », « Kitschroman » (avec l'intraduisible « Kitsch », camelote, pacotille...), « Subliteratur », « Unterhaltungsliteratur »...

Mais il existe en allemand un terme plus global, c'est celui de « Trivialliteratur » qui est largement répandu, quoiqu'un critique se demande s'il ne faut pas y voir une contradictio in adjecto [2].

« Paralittérature »

Il semble que l'on tente aujourd'hui, en forgeant le mot de « paralittérature » de rassembler en un tout l'ensemble des modes d'expression langagière à caractère lyrique ou narratif que des raisons idéologiques et sociologiques maintiennent en marge de la culture lettrée. Cette marginalité ambiguë qui est le propre du roman-feuilleton du roman policier, du roman rose, de la chanson populaire, de la « science-fiction », etc., nous semble ne pas être seulement une caractéristique négative, ne pas résider dans un manque de littérarité essentiel qui entacherait ces différents genres. La paralittérature s'inscrit en dehors de la clôture littéraire, comme une production tabouée, interdite, scotomisée, dégradée peut-être, tenue en respect, mais aussi riche de thèmes et d'obses-

1. E. Nowak, « Literature and Mass Culture », Zagadnienia Rodzajów Literackich, n° 17, p. 91-97.
2. W. Nutz, Der Trivialroman, Cologne, 1962.

sions qui, dans la haute culture, sont refoulés. Il faudrait donc étudier diachroniquement ce couple littérature-paralittérature [3].

« Paralittérature » nous paraît le plus opératoire des néologismes possibles, parce que le plus englobant, le moins pourvu de connotations dévalorisantes. La métaphore spatiale incluse dans « para » trace une lisière, un encerclement, une marge, une manière d'être « par rapport », une contiguïté *ou* une continuité [4]. L'idée de *marginalité* se retrouve d'ailleurs dans des formulations explicites, comme celles de « roman-paria », « littérature parallèle », « littérature marginale » [5].

« Infralittérature »

Le mot d'« infralittérature », apparu lui aussi récemment, aurait pu être retenu. Le préfixe « infra » — dans le sens qu'il prend dans l'adjectif « infrarouge » — aurait l'avantage d'attirer l'attention sur une situation de fait : cette énorme production semble entièrement occultée au regard scientifique ; elle ne semble pouvoir faire l'objet que d'un discours dégradé et trivial, plaisant, anecdotique — ou bien terroriste. Le critique oppose à l'examen de la production infralittéraire son traditionnel malthusianisme. Le préfixe « *infra* » impliquerait moins une infériorité de fait qu'il ne signalerait une cécité. Il n'en reste pas moins équivoque, c'est ce qui nous le fait rejeter.

« Littérature » et « paralittérature »

« Littérature » a été longtemps, par définition, un mot sans contraire, sans marge et sans « déchets ». Les termes d'*antilittérature*, d'*alittérature*, de *paralittérature*, tous apparus récemment et nullement imposés aujourd'hui, semble vouloir réorganiser l'économie de ce champ. Aussi n'est-il pas si curieux que l'on veuille parler de « paralittérature » — sans avoir encore cerné la nature même de l'opposition — au moment où le concept traditionnel de « littérature » se brise et s'éparpille et que se constituent des regroupements singuliers dans ce domaine prétendument homogène.

---

3. Dans *le Littéraire et le social* (Paris, Flammarion, 1970), J. Dubois emploie le mot de « paralittérature ».
4. Cf. D. Noguez, « Qu'est-ce que la paralittérature ? », *Documents du CIRP*, n° 2, 1969 (bulletin ronéotypé).
5. Expressions respectivement employées par : J.-L. Bory, dans sa préface à l'*Histoire du roman policier* de F. Hoveyda ; Jacques Marny, *le Monde étonnant des bandes dessinées*, I, p. 250 ; dans l'article de ce titre de l'*Histoire des littératures*, « Encyclopédie de la Pléiade ».

Poser la question « qu'est-ce que la paralittérature ? », c'est donc, bien sûr, poser simultanément l'autre et sempiternelle question « qu'est-ce que la littérature ? » mais le couple sémantique ainsi créé, situe le problème en le relativisant et doit permettre de nouvelles et moins vaines réponses. Nous parlons bien d'opposition, non de hiérarchie. Pourrait-il y avoir un seul étalon de valeur en vertu duquel toute la production lyrique ou narrative se répartirait selon une échelle linéaire graduée de « zéro » à « excellent » ? Rêve de pédagogue obtus, que pourtant traduit encore le classement des romans en quatre catégories proposé par un livre récent. M. Liddell, dans un essai qui se donne comme sérieux divise en effet le genre romanesque en :

I. Novels which call for serious criticism
a) Good novel
b) Novel which might have been good

II. Novels which are beneath serious criticism
a) Middlebrow
b) Lowbrow.

Une telle attitude se passe de commentaires.

« Littérature » est on le sait un mot extrêmement polysémique, dont la formation et l'histoire sont significatives. D'emblée, le terme est inséparable des notions d'« élite » et de « prestige social ». On consultera par exemple la définition établie par Robert Escarpit, dans *le Littéraire et le social.*

Le sens « 4ª » proposé par celui-ci, « ensemble de la production littéraire » semble coiffer le doublet littérature-paralittérature ; toutefois, et les exemples le prouvent, cette « production littéraire » ne comprend implicitement que des « œuvres possédant une valeur durable » aux yeux de l'élite lettrée.

L'acception non normative n'apparaît presque que dans la catégorie « 800 : Littérature » du CLASSEMENT DÉCIMAL UNIVERSEL. Dans le classement de Dewey, en effet, coexistent Homère et Ponson du Terrail, Énée et Fantômas !

À quel critère reconnaîtra-t-on la *vraie* littérature et comment se fait le rejet du « reste » dans l'innommable ? On tombe ici dans un impressionnisme qui masque toutes sortes de préjugés. Le critère de la vraie littérature, c'est qu'elle offre, selon l'éminent comparatiste Van Tieghem, « une jouissance plus ou moins vive », mais pour quels esprits ? « *L'uomo ignorante si fà regola dell'universo* », disait Vico ; c'est le cas de modifier la formule : « *L'uomo di cultura si fà regola dell'universo* ». Dans l'amas douteux qui cerne la clôture de la « bonne » littérature, le critique se permettra de sauver quelques noms : Eugène Sue — non Frédéric Soulié, Alexandre Dumas — non Xavier de Montépin, Émile Gaboriau — non Fortuné du Boisgobey, Georges Simenon — et non Jean Ray. Ou il se résoudra à offrir un petit strapontin dans le concert culturel à des formes d'expression au statut douteux : le roman policier, la science-fiction, non sans réserve [6]. Les barèmes à trois niveaux dont se servent les sociologues américains (*high culture, middle culture, low culture*) semblent aussi mystifiants ; ils se fondent sur une conception *a priori* de l'homogénéité du champ culturel : ces divisions abstraites masquent le fait paralittéraire qui ne saurait être confondu par exemple avec le marché du *bestseller* (Cécil Saint-Laurent, Pierre Daninos, Jean Lartéguy, Hervé Bazin, Henri Troyat, etc.). Il s'agit, dans ce dernier cas, d'œuvres « avouées » quoique correspondant à des stéréotypes qui permettent une consommation très vaste. La production paralittéraire est, elle, une production tabouée, privée de *feed-back* critique, transitoire, fugace, appelée à une usure extrêmement rapide (ce qui la rend d'ailleurs extrêmement représentative de la sensibilité d'une époque). *Coelina ou l'Enfant du mystère* de Ducray-Duminil est profondément en prise sur les années 1800, *Chaste et flétrie* de Pierre Decourcelle, sur la fin du siècle ; tel, qui méprise James Bond, ne peut nier combien les stéréotypes et les idéologèmes de cette série sont « de notre temps ».

Loin de présenter la paralittérature comme une forme dégradée de la littérature, nous poserons comme hypothèse que l'une ne peut exister sans l'autre. Littérature et paralittérature forment un couple indissociable pris dans une relation dialectique que l'histoire nous permet de voir opérer. Que l'on songe à la loi de Chklovsky sur l'origine de tous les grands genres littéraires dans la production inférieure ou populaire. Les relations qui ont pu exister entre la production paralittéraire et la littérature « cultivée » justifieraient à elles seules une étude attentive. Il s'est de tous temps produit des coups de forces, des intrusions imprévues de motifs paralittéraires. Un aspect essentiel de l'œuvre de Lautréamont ne réside-t-il pas dans cette « acculturation sauvage » du feuilleton et du genre noir à laquelle il procède ? Victor Hugo fait-il autre chose, dans *l'Homme qui rit*, que « pousser à la limite » les *topoï* les plus usés du roman populaire ?

---

6. Un critique marxiste, J. Elsberg (*Voprosy Literatury*, n° 41, 1967) va jusqu'à parler de « pseudolittérature », utilisant ainsi le préfixe le plus dévalorisant.

Dostoïevski collectionnait Sue et tous les critiques reconnaissent l'influence séminale de celui-ci sur celui-là. *Crime et châtiment* est-il pensable sans la lecture du trop négligé Émile Gaboriau ? Si la paralittérature reproduit fréquemment, en les figeant, des procédés littéraires, les écrivains contemporains ne seront-ils pas redevables à *Barbarella*, à *San-Antonio,* de nouveaux thèmes, de nouveaux modes d'expression ?

Paralittérature — Ultralittérature

La question se complique du fait que l'ultralittérature — s'il est permis par parallélisme de forger ce terme : Sade, Lautréamont, Rimbaud, Mallarmé, Jarry — s'est imposée peu à peu, par une série d'opérations terroristes, comme la seule littérature « authentique », phénomène entraînant le *krach* du niveau moyen de production littéraire.

À la limite, nous trouverons l'attitude surréaliste rapprochant le paralittéraire de l'ultralittéraire, le roman noir et Sade, Fantômas et le Père Ubu, en ignorant toute la production intermédiaire.

Au reste, Sade lui-même fait l'éloge de Radcliffe et de M. G. Lewis *(Idée sur le roman)* ; Rimbaud, celui des « refrains niais, livres érotiques sans orthographe ». Lautréamont emprunte son pseudonyme à un roman de Sue et cite Ponson du Terrail... Il doit y avoir quelque affinité entre ces deux extrêmes.

Exigences méthodologiques

Notre bibliographie des travaux critiques sur le domaine paralittéraire illustre ce qu'on peut soupçonner : à cinquante études récentes et bien documentées en anglais ou en allemand, on ne peut guère opposer qu'une poignée d'articles en français [7]. Il s'agit désormais de dépasser les deux attitudes qui s'opposent depuis un siècle, l'une, réactionnaire, attachée à préserver l'intégrité du champ littéraire menacé par l'ivraie « feuilletonesque », l'autre instituant un terrorisme de la transgression. Certes, il y a en français un peu plus de travaux — récents du reste — sur le roman policier, la science-fiction. Même ici, le dilettantisme primesautier, le populisme prédicateur, le goût de la contre-valorisation, privent encore de pertinence, dans bien des cas, des travaux qui relèvent plutôt de l'amateurisme éclairé.

De même qu'une approche nouvelle *constitue* l'objet paralittéraire, en rassemble les éléments dispersés, de même la nature de cet objet

---

7. Se reporter à la bibliographie à la fin de l'ouvrage.

impose au chercheur certaines exigences et en premier lieu celle de promouvoir une critique totalisante, rassemblant en un *continuum* théorique l'analyse interne, sémiotique, et l'analyse externe de la production et de la consommation de l'objet paralittéraire. C'est dire que notre domaine pose comme une évidence ce que la critique traditionnelle tente encore avec succès d'offusquer au moyen des pseudo-concepts de *génie*, de *création* artistique et de *réalisme*. Une entreprise comme la nôtre ne peut qu'affirmer implicitement la non-pertinence des modes traditionnels de la critique lettrée. La genèse, les thèmes, les grandes structures, les mécanismes de production et de consommation de la paralittérature posent en tout cas des problèmes extrêmement complexes et variés.

Très généralement, quelle qu'en soit la forme, il s'agit d'une production à caractère *narratif*. La chanson populaire consiste, elle aussi, en un microrécit, que l'on peut utilement formaliser. La chanson à caractère exclusivement expressif ou lyrique est demeurée de tous temps l'exception. C'est pourquoi les méthodes de l'analyse sémiotique — et les plus rigoureuses, celle de Greimas par exemple — doivent trouver ici un champ d'application.

Mais avant tout, la nature de notre recherche exige, au départ, le rejet de tout critère de valeur. Et cependant, même Lucien Goldmann et ses disciples, parmi les sociologues de la littérature, privilégient pour des raisons prétendument méthodologiques les « Grandes Œuvres » telles que la tradition nous en transmet la liste.

Limites du champ

Tenter de fixer les limites d'un domaine, c'est d'abord se donner une commodité de travail. Cela permet de concevoir un ensemble d'outils critiques auxquels on pourrait soumettre son objet.

Faut-il exclure par exemple de notre recherche la *bande dessinée* et les *fotoromanzi*, d'après un critère d'homogénéité dans la matière de l'expression et bien que ces objets culturels aient en commun avec la plupart de ceux que nous retenons une syntaxe de motifs narratifs et un système d'indices sémiologiques ?

Ce serait une position méthodologiquement défendable puisqu'elle vise à renforcer l'homogénéité du travail, mais il semble qu'il faille passer outre pour des raisons sociologiques. La production paralittéraire est prise aujourd'hui dans un réseau de *media* hétérogènes. Est-il permis d'ignorer que le lecteur de roman policier est peut-être également le consommateur de photo-romans, de feuilletons télévisés sur les mêmes thèmes ? La notion de genre narratif dépasse dès lors le champ du discours écrit et doit être prise dans une totalité d'*intermedia*.

Paralittérature : production et consommation

« Toutes les femmes de France, sans exception, liront ce nouveau roman d'Arthur Bernède » :   dès l'origine, la publicité feuilletonesque prétend ne pas s'adresser à un groupe social défini mais s'enorgueillit d'atteindre un peuple entier ; elle se propose un lecteur « universel ». Le feuilleton est un produit industriel ; il faut en parler d'abord en termes de *marché*, non de groupe social. L'analyste de la paralittérature se trouve donc tomber d'abord en arrêt devant des chiffres de tirage massifs, ceux des journaux où paraissent les feuilletons et, dès l'orée du siècle, ceux des « soixante-cinq centimes » de Fayard, Ferenczi, Tallandier. Ces chiffres sont fréquemment gonflés d'ailleurs : il me semble douteux que les *Judex*, de Louis Feuillade, aient atteint 700 000 exemplaires. Mais il faudrait multiplier ces chiffres par le nombre des collections qui se développèrent, le nombre d'ouvrages différents qui y parurent, pour atteindre alors des chiffres de tirage *hebdomadaire* vraiment « astronomiques ». Peut-on dire cependant qu'avant la Première Guerre mondiale, Xavier de Montépin, Michel Morphy, Léon Sazie (trois écrivains qui correspondent à trois grandes époques) ont eu une majorité de lecteurs d'origine ouvrière ? Rien n'est plus douteux. *Les Mystères de Paris*, archétype du genre, ont paru en feuilleton dans le *Journal des débats* et l'on peut douter de la popularité de cette feuille conservatrice parmi « les filles perdues de St-Lazare ». *Les Débats* ne perdirent pas leur clientèle ordinaire, c'est-à-dire la bourgeoisie aisée ; la gazette passa du salon à l'office. Les cabinets de lecture permirent également une diffusion assez vaste. La popularité de Sue en milieu ouvrier fut certes rapide et immense, mais provenait-elle d'une connaissance directe, fût-ce par la lecture à haute voix ? Ce n'est guère que sous le second Empire que le prolétariat industriel devint un marché particulier, pour des hebdomadaires du type du *Juif errant illustré*, etc. Au reste, tous les contemporains d'Eugène Sue insistèrent sur cette renommée qui allait de l'aristocratie aux « classes les moins éclairées » : le lecteur semblait atteint en dehors de ses complicités ou limites culturelles ordinaires. Les premières collections « populaires » de récits issus de la vulgarisation du romantisme social furent lues par les « cérébraux » de la classe industrielle, les futurs quarante-huitards qui s'accordèrent à « bénir l'auteur des *Mystères* » et n'y trouvèrent rien à redire. Mais on pourrait dire tout aussi bien que le lecteur type fut Emma Bovary, la petite bourgeoise de province, admiratrice des Walter Scott et des Frédéric Soulié. En fait, nous nous trouvons en présence de *modes de consommation* hétérogènes, pris dans des entourages culturels spécifiques. Dès le second Empire, sinon plus tôt, c'est le romancier populaire lui-même, s'il n'était pas trop roublard pour se croire une mission, qui accrédita l'idée qu'il écrivait pour « le peuple », « le plus grand nombre », ceux qui ne lisent pas « le reste ». Nous ne sommes pas tellement loin des paradoxes que l'on découvre aujourd'hui quant au rôle des *mass-media*.

Aujourd'hui encore, même dans les collections « populaires » (celles du *Fleuve noir* par exemple) quelle est la part des lecteurs culturellement favorisés ? Aucune réponse satisfaisante à cette question. Une sociologie historique de la lecture serait à entreprendre. Il y aurait lieu d'étudier le rôle des cabinets de lecture qui se multiplièrent à Paris jusqu'en 1850 pour tomber ensuite en décadence. Le dernier, place Saint-Sulpice, disparut en 1925. Il faudrait aussi tenter de cerner la fonction sociale et l'importance de la lecture à haute voix en milieu populaire. Même pour la période contemporaine, les études de motivation et de succès de vente restent fragmentaires.

La sociologie de la paralittérature s'inclut aujourd'hui dans l'étude des communications de masse, mais ici encore, Joffre Dumasedier invite à ne pas confondre « culture de masse » et « culture des masses ». Un produit standardisé, répandu par des techniques de diffusion massive s'adresse à « un gigantesque agglomérat d'individus saisis en deçà et au-delà des structures internes de la société [8] ».

La consommation paralittéraire semble échapper à la conscience claire, c'est une consommation refoulée, socialement ou psychologiquement, donc difficile sinon impossible à étudier. La « haute littérature », accompagnée du murmure tumultueux de la critique, ne cesse par contre de se penser elle-même. La paralittérature semble privée de *cogito* culturel.

Motifs, rhétorique et idéologie

C'est dans la paralittérature du XIXe siècle que sont nés, ou bien ont pris une vigueur nouvelle, divers types liés à des phantasmes sociaux significatifs : le forçat innocent, la prostituée vertueuse, l'enfant abandonnée, le couple notaire et confesseur, gardiens tous deux des secrets du Capital. Le romantisme social, expression de l'éclatement de la

---

8. Edgar Morin, *l'Esprit du temps*, p. 11.

conscience bourgeoise, marque fortement cette production originelle, qui propose un dépassement onirique de l'oppression sociale (rêverie de la justice immanente, du redresseur de torts). L'étude systématique des formes paralittéraires au XIXe et XXe siècle serait d'un grand apport pour l'histoire des mentalités [9].

Les jugements globaux portés sur la paralittérature reflètent la confusion des esprits quant à la portée idéologique de ces sortes d'écrits. R. Mandrou écrit que la littérature de colportage sous l'ancien régime constitue « un frein, un obstacle à la prise de conscience des conditions sociales et politiques auxquelles étaient soumis ces milieux populaires. Culture populaire, certes, ajoute-t-il, elle est bien dans le cas présent une forme d'aliénation [10] ». C'est de ce mot que se servira E. Morin pour juger la production contemporaine : « ... aliénation dans la consommation et le loisir, dans la fausse culture [11] » ; « ainsi, dit Christian Metz, chaque film pour midinette enferme-t-il un peu plus la midinette dans une problématique de midinette [12] ».

J. Tortel conclut sa grande étude sur le roman populaire en y voyant « un redoutable instrument de conservation sociale [13] ».

Une explication fréquente est celle qui justifie le besoin de tels écrits par la « soif d'évasion [14] ». « Littérature d'évasion », dit P. Brochon, où cependant « il n'y a pas fuite mais au contraire sublimation » ; « besoin d'illusion », dit Antonio Gramsci [15] ; « Besoin de défoulement », dit J. Clébert. Tous ces termes ne sont pourtant pas synonymes. Antonio Gramsci nous donne le mot clé en affirmant que « le roman-feuilleton » est « un véritable rêve les yeux ouverts [16] ».

Est-ce que le rêve est évasion, fuite, illusion ? Non certes. « Un rêve éveillé », dit encore P. Brochon [17], mais très souvent on ne va pas plus loin dans l'économie qui régit les relations entre la vie empirique et cette forme d' « imaginaire projectif [18] ». On tombe dans des formules peu critiques, terroristes, « surréalisantes » : « Le roman populaire est la poésie du peuple [19]. » C'est la véritable « mythologie moderne [20] »,

9. L. Chevallier, *Classes laborieuses et classes dangereuses à Paris*, Paris, Plon, 1958.
10. R. Mandrou, *De la culture populaire aux XVIIe et XVIIIe siècles*, p. 163.
11. E. Morin, *op. cit.*, p. 14.
12. *Communications*, XII, p. 25.
13. Dans *Cahiers du Sud*, no 310, p. 371.
14. R. Georlette, le *Roman-feuilleton français*, Bruxelles, 1955, p. 5.
15. P. Brochon, dans *Communications*, no I, p. 79, et Gramsci, *Œuvres choisies*, p. 487.
16. *Ibid.*, p. 475.
17. P. Brochon, *op. cit.*, p. 79.
18. Edgar Morin, *op. cit.*
19. E. Duperray, dans *la Tour de feu*, no 88.
20. J. Lacassin, *L. Feuillade*, p. 51 et *Cahiers du Sud*, no 310, p. 317.

répétera-t-on après Aragon et Breton ; notre « folklore moderne », dit M. Carrouges, « mythes sociaux [21] » ou, pourquoi pas, « bible pléthorique des songes collectifs du peuple [22] ». Archétype ou stéréotype, archétype *et* stéréotype : seule une théorie rigoureuse de l'idéologie et de l'imaginaire social permettra de sortir de ces équivoques.

Pour une typologie des genres

C'est peut-être dans le domaine paralittéraire qu'une typologie des genres a le plus de chances d'être opératoire, sans pour autant que nous soyons d'accord avec T. Todorov, selon qui « seule la littérature de masse devrait appeler la notion de genre [23] ».

L'embarras naît évidemment de la grande variété des genres qui sont issus du grand feuilleton à héros prométhéen du XIXe siècle. Si toute science naît de tentatives de classifications, on ne peut s'étonner de se trouver devant des listes de « genres » prétendus, fondées sur une typologie approximative. Les critiques allemands — les seuls à avoir approfondi l'étude de ce domaine — distinguent : *der Frauenroman, der Bergroman, der Kriminalroman, der Arztroman, der Kriegsroman, der Sittenroman, der Wildwestroman, der Zukunftroman,* variétés du *Abenteuerroman, der Legionärsroman...* ; les Américains tiendront à caractériser le *Ranch Romance,* la *Far-West Story,* le *Love Romance,* les *Gangster Stories,* ils parleront aussi de *Thriller,* de *Sex-and-Violence Novel* ou encore de *Sexational Novel...*

Si l'on voulait établir une typologie diachronique des différents genres et sous-genres paralittéraires, on pourrait sans doute présenter une sorte d'arbre généalogique : le tronc en serait formé par le « grand » roman populaire à redresseurs de torts dont la formule et les motifs naissent de la convergence du fatras « noir » et du romantisme social. Sur ce tronc, auraient poussé des surgeons plus ou moins vigoureux. Des genres naissent, s'autonomisent et se figent rapidement. Nous essayerons de montrer que le roman policier naît en France, du « roman de l'erreur judiciaire » (Jules Mary, *Roger la Honte*), qui est lui-même une variante significative du roman prométhéen à redresseurs de torts. Ainsi pourrait-on voir apparaître et se codifier le « roman du martyre féminin » *(Mère et martyre),* le roman de cape et d'épée (Paul Féval, Michel Zévaco), le roman patriotique et revanchard *(Cœur de Fran-*

---

21. E. Sullerot, *la Bande dessinée*, p. 23.
22. E. Duperray, *op. cit.*
23. *Introduction à la littérature fantastique*, p. 10.

çaise, *Orphelins d'Alsace)*, suivi en 1914 par le roman de guerre *(l'Espionne de Guillaume, Tête de Boche)*, la science-fiction, appelée d'abord « roman scientifique d'aventure » (Jean de la Hire), le roman d'espionnage international (*Satanas*, vers 1920). Il y aurait à établir une sorte de grammaire transformationnelle qui permettrait de passer d'une syntaxe narrative à une autre.

Conclusions

Si intolérablement aliénants que soient certains thèmes qui ont fleuri dans la production paralittéraire, on ne peut nier que s'y sont développés aussi certains modes de transgression, que certains motifs obsessionnels s'y sont libérés, qu'au milieu d'un fatras, s'est exprimée la rêverie latente d'une époque. Le roman noir, né en Angleterre, combiné au *Räuberroman* germanique, impose en France entre 1800 et 1820, bien mieux que ne le fait la production avouée, cette « littérature d'infraction que nos passions ont toujours souhaitée [24] ».

Nous nous trouvons devant le paradoxe d'une littérature qui est à la fois étroitement fonctionnelle (quoi de plus fonctionnel qu'un roman pornographique, par exemple ?) et qui est en même temps le lieu d'une déviance. C'est ce qui explique aussi que le roman feuilleton du XIXe siècle, à la suite d'Eugène Sue, ait développé une idéologie politique socialo-paternaliste, écho étouffé de la voix du monde ouvrier.

Productions littéraire et paralittéraire sont donc inséparables l'une de l'autre. L'étude historique ou synchronique de l'objet que nous avons circonscrit devrait permettre à la fois d'éclairer l'histoire sociale et l'histoire des idéologies, disciplines où cette recherche trouve naturellement sa place. Il y a à peine vingt ans, le champ dont nous essayons de tracer les limites ne pouvait faire l'objet que d'un discours réducteur, anecdotique ; de nos jours par contre, Évelyne Sullerot s'étonne d'être une des premières à étudier un objet consommé par tant de gens : la bande dessinée. Mais au-delà de cette inclusion dans le champ sociologique, l'analyse de la paralittérature — sous son double et paradoxal aspect : inspiration marginale et produit d'une industrie massive —, est indispensable à la construction d'une théorie de la littérature, qui, si elle en était privée, ne pourrait que demeurer fragmentaire et mystifiante.

---

24. M. Schneider, *la Littérature fantastique*, p. 119.

CHAPITRE II

LE ROMAN POPULAIRE À L'ÂGE INDUSTRIEL

La littérature de colportage

La « littérature de colportage », représentée principalement par les petits in-12 et in-32 de la Bibliothèque bleue de Troyes, constitue « le meilleur ensemble d'informations pour tenter de nous représenter ce qu'a pu être la culture populaire sous l'ancien régime [1] ». Pierre Brochon, René Mandrou, Geneviève Bollème ont étudié ce vieux fonds d'almanachs, de recueils moraux, de contes et de romans de chevalerie qui a suffi à assouvir les besoins d'évasion et d'information du petit peuple du XVIe siècle à la Révolution. La fameuse *Histoire des livres populaires*, de Charles Nisard (1845), reste toutefois une source de renseignements irremplaçable et un ouvrage qui frappe par l'intelligence et la curiosité de son auteur.

Ces livres, destinés à être lus à la veillée, étaient répandus par toute la France dans la hotte de merciers-colporteurs qui s'approvisionnaient à Troyes, devenue par contrecoup un centre de mercerie.

Les romans de chevalerie — *Huon de Bordeaux, Griseldis, Orson et Valentin, Robert le diable* — n'y étaient que des versions en prose du XVIe siècle des succès romanesques de la fin du Moyen Âge. La continuité d'inspiration est frappante. Tout un fonds narratif traditionnel, peu susceptible de renouvellement, se maintient dans l'ombre de la production lettrée. Mais il est vrai que *Geneviève de Brabant*, sur le succès duquel insiste Nisard, préfigure par sa structure le grand roman popu-

---

1. René Mandrou, *la Bibliothèque bleue de Troyes*, Paris, Stock, s. d. ; Geneviève Bollème, « Littérature populaire et littérature de colportage au XVIIIe siècle », dans *Livre et société*, La Haye, Mouton, 1965 ; Charles Nisard, *Histoire des livres populaires ou de la littérature de colportage*, Paris, 1854.

laire du XIXe siècle : fausse accusation, innocence persécutée, traître et
redresseur de torts, victoire manichéenne du bien sur le mal. On relèvera également un certain nombre de vies de bandits célèbres (Cartouche, Guilleri) moralisées « à l'usage des petites gens ». Ces textes
anonymes préfigurent eux aussi cette alliance naturelle du bandit et du
peuple qui s'exprima oniriquement d'Eugène Sue à *Fantômas*.

Significativement, vers 1815, de nouveaux titres apparaissent dans la
Bibliothèque bleue : Madame Cottin, Ducray-Duminil, Raban, imitateur
de Paul de Kock ; plus tard, selon Nisard, on rencontrera même des abré-
gés de Dumas et de Sue. Ainsi, dès la Restauration, le circuit de colportage rompt la clôture quasi absolue qui l'isolait des thèmes « bourgeois » de la production romanesque. *Coelina ou l'Enfant du mystère* se
substitue à *Garin de Montglave* et à *Gallien restauré*. On y écoule les
invendus, et, avec quelques années de retard, le fonds de commerce des
« romans noirs » de la Restauration, « comme si, écrit Nisard, le colportage était un égout [2] ».

En 1847, on comptait encore 8 500 colporteurs qui répandaient à
travers la France neuf millions de volumes, dont « 8 000 000 de livres
scandaleux [3] », note avec horreur E. A. de l'Étang. Les moralistes de
profession tonnent contre ce trafic « qui a pour but avoué et unique la
spéculation sur les passions et l'immoralité » ; le Pouvoir, jusqu'alors
semi-indifférent, s'inquiète. Un édit du 8 février 1723 est à la base de
la loi du 5 mars 1822 contre « les distributeurs de mauvais livres ». Elle
impose un brevet que le colporteur devra acquérir. La loi du 27 juillet
1849 exige l'estampillage des brochures destinées au colportage. Mais
sous le second Empire le vieux fonds médiéval a disparu. Le colportage
n'a plus pour effet que de répandre dans les campagnes reculées les
succès du feuilleton et des cabinets de lecture. Pourtant, le décret de
février 1852 instaure une « Commission du colportage » chargée de
diriger la presse des classes inférieures, « pour en raviver les croyances
et les enthousiasmes » (!). Et sous le second Empire, le ministère de
l'Intérieur ne cesse de se préoccuper des ravages du colportage romanesque (circulaires de juillet 1852, du 21 avril 1854...).

Canards, « occasionnels », complaintes

Le canard est une feuille vendue à la criée, comportant généralement une gravure sur bois. Il relate un fait divers « aggravé » : « Crime

---

2. Charles Nisard, *op. cit.*, t. II, p. 516.
3. E. A. de l'Etang, *le Colportage, l'instituteur primaire et le livre utile dans les campagnes*, Paris, 1865.

affreux... », « Événement surprenant... », « Horrible catastrophe... », « Dévouement sublime... », ou il commémore les heurs et malheurs des grands de ce monde, naissance, mariage, décès princiers [4].

Le canardier, ou imprimeur sans brevet, existe depuis le XVe siècle, mais les années 1820-1850 sont l'époque de la plus grande vogue des « occasionnels ». Cette production, mi-gazette, mi-fiction, nous rappelle que la littérature populaire s'est toujours développée en symbiose avec la presse. Le feuilleton est une excroissance frénétique du fait divers et le feuilletoniste presque toujours un journaliste à succès. Les récits des affaires Lesurque, Fualdès, Lafarge ont passionné le public, comme les *Broadsheets* du chapelain de Newgate — les *Newgate Calendars* — ont précédé en Angleterre le feuilleton réaliste. Tout au long du XIXe siècle, *la Complainte de Fualdès*, du dentiste Catalan, servira de modèle à des centaines de pastiches vendus à la criée :

Écoutez gens de la ville
même du quartier latin
de Montrouge et de Pantin
et surtout de Belleville
le récit très éloquent
d'un forfait très conséquent... [5].

La chanson sociale de Béranger, de Vinçart, des chansonniers ouvriers, de Pierre Dupont et de Pottier sous le second Empire se répandra par des voies analogues et fera, elle aussi, froncer les sourcils au Pouvoir.

Le canard et l'image d'Épinal tombent toutefois en déclin avant 1870.

Le roman noir

Le *Gothic Romance* naît en Angleterre au milieu du XVIIIe siècle. Si *The Castle of Otranto* d'Horace Walpole reste une réussite isolée, quelques années plus tard, Clara Reeves, Ann Radcliffe et leurs imitateurs vont répandre à travers l'Angleterre et l'Europe une série de récits taillés sur le même patron dont le pouvoir de transgression atteint son plus haut degré chez M. G. « Monk » Lewis et chez Charles-Robert Mathurin.

---

4. J.-P. Seguin, *Nouvelles à sensation. Canard du XIXe siècle*, Paris, A. Colin, 1959.
5. Cf. Marc Angenot, « la Complainte de Fantômas » et la « Complainte de Fualdès », *Etudes françaises*, vol. IV, 1968.

De façon significative, l'édition anglaise entre dans l'âge de la production industrielle plusieurs années avant la France. Le roman noir
constitue en Angleterre dès 1790 la forme romanesque dominante. On
voit pour la première fois se développer, à côté de la production lettrée,
une littérature marginale dont les topoï sont en rupture totale avec les
patrons, les thèmes, la rhétorique du vraisemblable sur lesquels vit la
« bonne » littérature.

Si le roman populaire au XIXe siècle peut être considéré comme
une infralittérature où se dégradent en se figeant les procédés du roman
« cultivé », il constitue surtout une paralittérature où se libèrent une
série de mythes, de rêveries informes, tout un indicible que la culture
a pour fonction de nier. Le fantastique frénétique autant que la revendication sociale violente trouveront dans la littérature populaire un
exutoire. Cette paralittérature constitue la clé « qui permet d'explorer
le contenu latent de l'époque, là où le réalisme ne donne que le contenu manifeste [6] ». Le roman anglais pénètre en France en même temps
que le *Ritter–und Räuberroman*, première forme populaire européenne
susceptible d'interprétation politique immédiate. C'est en suivant ses
modèles anglais et allemands que le romancier français se met à produire des récits originaux qui déferlent et saturent le marché vers 1820.

Dans son *Dictionnaire des romans* (1819), Pigoreau s'efforce de
présenter un éventail complet des différents genres narratifs à la mode,
en une typologie un peu saugrenue mais significative :

> Romans historiques ; romans et histoires des îles et des sau-
> vages ; romans en lettres ; romans d'amours pastorales et cham-
> pêtres ; romans sentimentals (*sic*), pathétiques et larmoyants ;
> romans et histoires de couvens de Moines, de Religieuses etc ;
> roman de gaieté, d'amour et de galanteries, romans d'aventures,
> d'espiègleries, Farces, Folies ; romans de Magie ; romans de Fantô-
> mes, Revenans, Ombres ; romans mystérieux, secrets impénétrables ;
> romans noirs, sinistres, Assassinats, empoisonnements..., romans de
> brigands, faux Monnoyeurs, Voleurs, Scélérats, Bandits et Escrocs...

Si éclectique que soit cette liste, on voit la place qu'y prend
l'inspiration gothique et frénétique. E. Auger, de l'Institut, voudrait
inspirer au lecteur l'horreur « de cette littérature de cannibales qui se
repaît de lambeaux de chairs humaines et s'abreuve du sang des femmes
et des enfants ». Il est vrai qu'on est loin des tableaux assez fades à la
manière d'Ann Radcliffe ; le marquis de Sade qui, dans son *Idée sur
le roman* prévoit le succès et montre les limites du genre, aurait raison
d'être satisfait.

---

6. André Breton, *la Clé des champs*, Paris, Sagittaire, s. d., p. 19.

Frédéric Soulié, Balzac sous divers pseudonymes, Eugène Sue commenceront leur carrière comme romanciers noirs. En 1829, Jules Janin donne, dans une parodie qui tourne au sérieux, le chef d'œuvre ignoré et atroce du genre — prodrome dans l'humoir noir du frénétique social des Soulié et des Sue : *l'Âne mort et la femme guillotinée.*

Au théâtre, le mélodrame, né du théâtre monacal de la Révolution et de la pantomime dialoguée, n'a pas eu à emboîter le pas. Les romans à succès passent sur la scène et le public aime à retrouver dans les in-12 de Pigoreau les héros du théâtre. Le « Boulevard du Crime » acquiert sa réputation avec les inépuisables Cammaille-Saint-Aubin et Guilbert de Pixérécourt. Lamothe-Langon, Mademoiselle Désirée de Castéra, Mademoiselle Guénard de Faverolles, Madame de Nardouët, conquièrent dans le roman frénétique une réputation éphémère. Reveroni Saint-Cyr avait tâté dès le Directoire du récit érotique et scandaleux : *Pauliska ou la Perversité moderne, le Torrent des passions ou les Dangers de la galanterie...*

Le plus grand succès revient à Pigault-Lebrun avec *l'Enfant du Carnaval* et à Ducray-Duminil qui fait pleurer les portières sur les malheurs de *Coelina ou l'Enfant du mystère,* de *Victor ou l'Enfant de la forêt. Coelina* n'a pas été tiré à moins de 1 200 000 exemplaires. On y conte en un style sensible les malheurs de l'infortunée Coelina en butte aux persécutions de son oncle Truguelin et de son cousin Marcan. La malheureuse y répand des torrents de larmes. Le style sensible, les invocations ossianesques à la nature, l'horreur de certaines situations y attestent l'influence combinée du rousseauisme et des romans anglais.

Pigault-Lebrun et Paul de Kock conservent une vogue ouvrière sous le second Empire, ce qui n'est le cas ni de Victor Hugo ni de George Sand, note Georges Duveau [7]. Le vicomte d'Arlincourt, dont *le Solitaire* a été traduit dans toutes les langues, « excepté en français », disait-on plaisamment, remporte en 1821 un prodigieux succès [8].

Certes, le style d'Arlincourt, poussant jusqu'au burlesque les innovations de McPherson, a de quoi rebuter le lecteur moderne :

Muse des rochers et des torrens !
Puissant génie des orages ! Farouche
déité du Nord ! Je te cherche, j'ose
t'appeler. Au roulement lointain
de la foudre, accorde ta harpe

---

7. François Guillaume Ducray-Duminil (1761-1819), *Coelina ou l'Enfant du mystère,* Paris, Le Prieur, an VII.
8. On verra, sur Victor d'Arlincourt (1788-1856), l'ouvrage d'A. Marquiset, *le Vicomte d'Arlincourt, prince des romantiques,* Paris, Hachette, 1909.

sauvage. Viens, je t'écoute...
inspire-moi. (*Le Renégat*, 1822.)

Mais c'est bien justement cette frénésie ampoulée qui suscite l'enthousiasme du public, en même temps qu'il tremble et s'apitoie tour à tour devant les Beaux Ténébreux, à la fois criminels et sublimes, dont le prolifique vicomte retrace la dramatique destinée.

Les premiers grands libraires-industriels ont réussi à s'imposer sous la Restauration (Lepoitevin, Gosselin, Ladvocat, Canel...), mais le livre reste cher, si l'invention de la presse Stanhope et de la composition sur flans permettent une technique d'impression plus rapide et plus économique.

La littérature populaire, qui se vouera à une dénonciation ambiguë du capital tout-puissant, naît avec l'intrusion du grand capital dans l'édition, dont Sainte-Beuve regrette qu'elle soit en passe de perdre ses « idées de libéralité et de désintéressement ». L'œuvre-marchandise apparaît, subordonnée aux lois de marché.

Les tirages, du reste, ne rendent pas compte du succès effectif d'un livre, succès qui se fait dans les cabinets de lecture.

Après 1830

Survient la monarchie de Juillet, civilisation de bonnetiers, a-t-on dit, tout entière résumée à travers le verre grossissant d'Henri Monnier, mais aussi monde travaillé par les sociétés secrètes. C'est le Paris du choléra de 1832, dont L. Chevalier a montré l'influence sur les premiers signes de conscience de classe dans le peuple parisien, le Paris des barricades de Saint-Merri, la même année. Le Pouvoir tente de distinguer « classes laborieuses » et « classes dangereuses » et la police entreprend avec des moyens plus « modernes » la lutte contre l'armée du crime ; les exploits de Lacenaire (exécuté en 1836), ceux de Fifi Vollard (Affaire de la rue du Temple, 1839) passionnent le public. L'intérêt pour le crime devient, dit L. Chevalier, « l'une des formes de la culture populaire de ce temps ». Les romanciers-feuilletonistes puiseront largement non seulement dans la *Gazette des tribunaux* — qui paraît depuis 1825 — mais surtout dans la très ignorée compilation de Peuchet (assisté de Lamothe-Langon), *Mémoires tirés des archives de la police* (1838), encore riche aujourd'hui de ressources inexploitées [9].

---

9. *Mémoires tirés des archives de la police de Paris pour servir à l'histoire de la morale et de la police depuis Louis XIV jusqu'à nos jours, par J. Peuchet, archiviste de la police*, Paris, A. Levasseur, 1839, 6 vol.

Aidé de quelques nègres, Vidocq (1775-1857), retiré des affaires après 1833, publie ses *Mémoires* (1828), plus tard ses *Vrais Mystères de Paris*, chronique sociale où foisonnent des « situations » exploitées plus tard par le feuilleton.

Naissance du feuilleton-roman

La loi Martignac (1828) allège les journaux des tracasseries policières, mais leur impose certaines conditions pécuniaires qui les poussent vers l'usage de la réclame et l'invention du feuilleton-roman. En 1830, la censure est abolie. La révolution capitaliste atteint la presse. En 15 ans (1830-1845) le journal d'opinion se transforme en une « affaire » anonyme, cotée en bourse. Émile de Girardin (1806-1881), promoteur du populaire *Journal des connaissances utiles* (1831) et du *Magasin pittoresque*, lance le 15 juillet 1836, *la Presse*, « le journal à deux sous », obligeant ses concurrents à transformer leurs journaux d'opinion, publiés à de petits tirages et vendus à des prix d'abonnement élevés (80 francs), en journaux destinés au grand public.

Légitimiste, orléaniste ou réformiste, peu importe : il s'agit pour le journal de survivre, c'est-à-dire de vendre plus et moins cher. (Le journal à cette époque ne se vend pas au numéro, il n'a guère qu'un public d'abonnés.) C'est alors que pour la première fois, les directeurs de journaux vont demander à quelques romanciers en vogue des récits qui — habilement découpés — vont occuper le « rez-de-chaussée » de la première page et se substituer aux feuilletons politiques et littéraires [10].

Selon J. L. Bory, le premier feuilleton romanesque fut, en septembre 1836, dans *la Presse*, « Patrona Calil » d'Alphonse Royer ; selon d'autres sources, une version de « Lazarillo de Tormes » parut auparavant dans *le Siècle*, journal concurrent de Dutacq. Balzac y débute en octobre 1836 avec « la Vieille Fille » ; Dumas en juillet 1838, avec « Capitaine Paul ». Presque aussitôt apparaissent des « magasins » destinés à republier isolément les feuilletons à succès.

Girardin misait sur la qualité. Il aurait demandé un feuilleton à George Sand, à Balzac, non à des romanciers pour cabinet de lecture comme Raban. Le directeur de *la Presse* a le sens inné de la publicité. Les murs se recouvrent de placards énormes portant le titre des feuilletons. Les esprits chagrins s'en indignent. Ils tonneront contre le char

---

10. Le mot « feuilleton » apparaît vers 1800 : « *feuilleton du Journal des débats* ».

publicitaire promené par *l'Époque* durant le carnaval de 1847 **pour** annoncer le lancement du *Fils du Diable* de Féval : « ... les portiers eux-mêmes en ont rougi », s'indigne *le Charivari*.

Valconseil, Frégier, Menche de Loisne, Alfred Nettement dénoncent avec ensemble les dangers de cette « invention déplorable [11] ». Dans ces premières années, le plus populaire et prolifique des feuilletonistes est Frédéric Soulié dont *les Mémoires du Diable* (1837-1838) font scandale. Le premier il transpose dans un milieu réaliste les sortilèges et les outrances du roman noir. Le premier il va chercher dans la société bourgeoise contemporaine les crimes et les monstruosités jusqu'alors relégués dans des châteaux en ruine [12].

Grand argument d'Alfred Nettement contre ces écrits : on a trouvé *les Mémoires du Diable* sur le guéridon de Madame Lafarge quand on vint l'arrêter. *Les Drames inconnus* (1845) préfigurent le thème des *Misérables*. Mais bientôt Soulié va être détrôné par Eugène Sue.

Eugène Sue (1804-1857) avait débuté dans le roman noir et le roman d'aventure maritime. Pour *les Mystères de Paris* (1843), il fait pénétrer son héros, l'aristocratique prince de Gérolstein, dans les bas-fonds de la Cité. On sait l'immense succès qu'il rencontre. Le public populaire et les journaux socialistes découvrent en lui l'homme dont la « plume chaleureuse » dévoilera aux riches les misères du peuple.

Le roman populaire où s'illustreront d'abord Eugène Sue, Alexandre Dumas, George Sand, Xavier de Montépin, Paul Féval, et leurs innombrables imitateurs, n'est que la convergence, dans un type de narration aux règles bien circonscrites, du frénétique noir et du romantisme social. Paris y devient le Château dont les bas-fonds attirent, comme les souterrains des *burgs* gothiques, le héros prométhéen porteur de valeurs authentiques au cœur d'une société dégradée. La quête du *Gothic Romance* devient une lancinante revendication sociale. Significativement, le plus célèbre de ces romans nouveaux emprunte son titre à Ann Radcliffe : sur *les Mystères d'Udolphe*, Eugène Sue calque *les Mystères de Paris*.

Le *Juif errant* (1844-1845) remporta un succès encore plus éclatant, mais après 1846, Sue, définitivement acquis à la prédication sociale et

11. H. L. Frégier, *Des classes dangereuses de la population*, Bruxelles, Méline, 1840 (contrefaçon) ; Menche de Loisne, *Influence de la littérature française de 1830 à 1850 sur l'esprit public et les mœurs*, Paris, Garnier, 1852 ; Alfred Nettement, *Études critiques sur le feuilleton-roman*, Paris, Perrodil, 1844-1845, 2 vol. in-4°.
12. Alfred Nettement, *op. cit.*, t. I, p. 404.

qui peine laborieusement sur *Martin, l'enfant trouvé,* est éclipsé par Alexandre Dumas et Paul Féval.

Le Comte de Monte-Cristo (1844) correspond à la même structure narrative que le chef-d'œuvre de Sue : roman du héros prométhéen apportant dans une société dégradée la justice et la vengeance. Le récit le plus habile de Dumas sur ce canevas (il y fut « aidé » par Paul Bocage) est cependant *les Mohicans de Paris* (1854).

La même année que *Monte-Cristo,* Paul Féval fait paraître *les Mystères de Londres,* où le marquis de Rio Santo est une réplique de Rodolphe de Gérolstein. Son *Fils du Diable* (1847) traite avec des procédés empruntés au roman noir le thème de la Vengeance : les bâtards de Bluthaupt partent à la poursuite des six assassins de leur père, schéma commode délayé en quatre volumes.

Il faudrait citer encore Gabriel Ferry (1809-1852), Adolphe Dennery (1811-1899), Constant Guéroult (1814-1882), Xavier de Montépin (1824-1902), parmi les représentants de cette deuxième génération de feuilletonistes. La production littéraire est devenue affaire industrielle. Le théâtre reprend les succès populaires et les drames les plus courus sont transposés en feuilletons (on songera au plus grand succès du temps, *le Chiffonnier de Paris* de Félix Pyat, où triomphe Fréderick Lemaître en 1847).

D'emblée, le feuilleton s'installe dans l'équivoque. À la fois principe d'émancipation, de critique sociale et « opium du peuple ». Il naît une industrie du roman, l'auteur-producteur dirige une équipe de « nègres » qui écrivent à la hâte sur des canevas grossiers et conventionnels des romans peut-être illisibles mais que, pourtant, tout le monde lit.

Alexandre Dumas n'était évidemment pas le seul à utiliser des « nègres ». Dès lors que le succès grandit et que la rémunération s'élève, les romanciers en viennent à prendre des engagements intenables. Au début de ce siècle encore, les Zévaco, les Decourcelle (pour qui travailla Saint-Pol Roux) sont de véritables directeurs d' « ateliers ». Souvent ces nègres ont signé eux-mêmes après que leur « maître » se soit retiré : on cédait son fonds, en quelque sorte. La prétention à l'originalité est du reste une idée moderne ; pendant longtemps on n'a rien trouvé de fâcheux à ce que le maître signe l'œuvre de l'élève.

Quoique la bibliographie d'un romancier populaire soit difficile à reconstituer, on reste souvent frappé par le nombre étonnant de titres dont il assume la paternité. Marcel Allain, l'un des deux auteurs de *Fantômas,* écrira plus de six cents romans. Ou plutôt, il ne les écrit pas : dès 1910 il se sert du dictaphone et envoie à l'impression, sans pouvoir les corriger, les chapitres tapés à la machine par des secrétaires.

Le découpage en feuilletons quotidiens impose sa loi. Il importe de finir chaque jour sur un moment pathétique qui fera acheter le numéro suivant : « Mais la porte s'entrouvrit et on vit apparaître un bras. Au bout de ce bras, une main. Et dans cette main, un poignard. Quelle était cette main ? *(La suite au prochain numéro.)* »

Le succès fait que les chapitres s'allongent ; les livres s'entassent, sans que le héros meure jamais. S'il meurt on le ressuscite, comme ressusciteront Rocambole, Fantômas.

Le feuilletoniste « tire à la ligne ». Payé à la ligne typographique, il tend, pour augmenter son salaire, à la phrase courte, exclamative, haletante qui s'explique donc autant pour des raisons économiques que par goût de la frénésie et des situations cataclysmiques.

Qui lit de telles œuvres ? S'il est vrai qu'en 1855, 31% des couples arrivent illettrés au mariage, et en 1866, 25% encore, de tels chiffres risquent d'être trompeurs. La population rurale semble rester encore en dehors du circuit, mais il ne faut pas sous-estimer le rôle social de la lecture à haute voix. Dans les villes, l'ouvrier de fabrique, l'artisan, l'employé, le commis, le petit bourgeois lisent les feuilletons et les « magasins » romanesques, mais sans doute le mode de consommation diffère-t-il. Le petit bourgeois, s'il s'exalte au contact des *Mystères de Paris,* n'avoue pas la lecture de feuilletonistes secondaires.

Pour l'ouvrier — excepté l'ouvrier autodidacte, le « cérébral », qui vivra intensément les espoirs et les désillusions de 1848 —, les Féval et les Montépin constituent la *seule* lecture. La critique littéraire ne joue pas ici de rôle de relais. On écrit directement et sans fausse honte pour « fournir des idées » à l'auteur. C'est la pression du public populaire qui obligera par exemple Eugène Sue à faire réapparaître le personnage du Chourineur [13].

Il ne faut pas non plus sous-estimer le rôle des femmes qui sont sans doute pour une part importante dans les succès du XIXe siècle. Jusqu'en 1900, la lecture chez la concierge est une institution sociale de premier plan. *Roger-la-Honte* est le grand sujet de réflexions de plusieurs générations d'ouvrières, de bonnes d'enfants et de portières.

* * *

---

13. Cf. Jean-Louis Bory, *Eugène Sue, le roi du roman populaire,* Paris, Hachette, 1962 (comporte une bibliographie générale) ; *Tout feu, tout flamme,* Paris, Julliard, 1966.

Si paternaliste et démobilisant que nous apparaisse le message social du roman populaire prométhéen, il inquiète les gens en place. En 1850, profitant de la vague de réaction et effarouchée par la présence dans ses rangs d'Eugène Sue, l'Assemblée nationale vote le fameux amendement Riancey. Considérant le feuilleton comme un « poison subtil qui s'est introduit jusque dans le sanctuaire des familles », Riancey obtient qu'un droit de timbre d'un centime par exemplaire frappe les journaux à feuilleton. C'est la disparition provisoire de ceux-ci [14].

Mais quoi ! Peut-on lutter contre un moyen qui a fourni à la presse un essor si rapide ? Avec le second Empire le roman populaire se développe en s'abâtardissant.

Le journal franchit un nouveau seuil de son expansion, avec le lancement du *Petit Journal* à 5 centimes de Moïse Millaud (1859). Son public de « petites gens » se passionne pour la bonhomie du chroniqueur attitré, Timothée Trimm, et pour l'imagination rococo du vicomte Ponson du Terrail (1829-1871) [15].

Rocambole, qui avait commencé à paraître dans *la Patrie* en 1857, passe au *Petit Journal*, dont le tirage moyen atteint 260 000 exemplaires à la fin de 1865. L'invention de la rotative Marinoni va permettre d'augmenter encore ce chiffre (1867). Le livre reste cher (vingt à vingt-cinq livraisons à 10 centimes pour un roman), mais après 1869 apparaissent des hebdomadaires à feuilletons pour 5 centimes : *le Journal à cinq centimes, le Cinq Centimes illustré, le Journal populaire, le Juif errant ; les Romanciers populaires*, en 1893, sont bihebdomadaires. Turpin de Sansay, Émile Richebourg, Émile Gaboriau, René de Pont-Jest — qui prend la succession de *Rocambole* avec *les Thugs* — sont parmi les romanciers les plus aimés du second Empire.

Louis Adolphe Turpin de Sansay (1832-?) demeure dans la tradition du roman noir social, imité d'Eugène Sue. Dans son *Chiffonnier de Paris*, il adapte le mélodrame, célèbre vingt ans auparavant, de Félix Pyat.

Émile Richebourg (1833-1898) est le plus moral de sa génération, avec Hector Malot. Mères persécutées, enfants abandonnés sont les personnages infortunés de leurs pathétiques récits.

---

14. Cf. Gustave Claudin, *le Timbre Riancey*, Paris, Dumisseray, 1850, une brochure in-18.
15. Moïse Millaud fut aussi le fondateur de *l'Audience*, premier journal judiciaire à sensation.

On considère Émile Gaboriau (1835-1873) comme le premier auteur de romans policiers dignes de ce nom ; journaliste judiciaire puis secrétaire de Paul Féval, il publie en 1865, au *Petit Journal*, *l'Affaire Lerouge* qui remporte un prodigieux succès et fixe durablement les éléments topiques du genre. Son *Crime d'Orcival*, son *Dossier n° 113*, ses *Esclaves de Paris* seront dans toutes les mains. Monsieur Lecoq devient le prototype du policier prestigieux, inductif et déductif, à cent lieues du mouchard-ancien-forçat qui avait tant servi dans les années 1830. Gaboriau trouve des disciples dans Fortuné du Boisgobey, inventeur du prêtre-détective (*le Coup de pouce*, 1875) et dans Eugène Chavette (1827-1907) qui, avec *la Chambre du crime*, aborde pour la première fois en France le problème du *locked-room mystery* [16].

* * *

Sous la troisième République, les grands journaux, *le Matin*, *le Petit Parisien*, *le Petit Journal* atteignent et dépassent le million d'exemplaires, grâce à l'invention de la linotype (1885). Ils offrent souvent deux feuilletons par numéro. Quinze jours à un mois après que le feuilleton ait paru dans la capitale, on le retrouve dans les journaux de province, *la Petite Gironde*, *le Petit Marseillais*...

La saturation du public populaire urbain et rural va se faire cependant par la librairie. En 1900, la « Collection populaire Jules Rouff » est encore à 1,50 le volume. Arthème Fayard, qui avait déjà rencontré le succès en 1904 avec sa « Modern-Bibliothèque » à 0,95 (contre 3,50), lance en 1905 « le livre populaire » : 360 pages pour soixante-cinq centimes. On tire sur linotype, on économise : les livres paraissent non rognés ; les bas de pages sont souvent écrasés, les empreintes étant faites sur des plombs ayant déjà servi. *Chaste et flétrie*, le numéro 1 de cette collection qui comporte plusieurs centaines de titres, dépassera les 100 000 exemplaires. Le circuit de distribution est celui des marchands de journaux qui prennent « ferme » le treize à la douzaine. Ferenczi, Tallandier, Rouff se lancent à concurrencer Fayard. Chez Tallandier, *la Joueuse d'orgue* de Montépin atteint 120 000 exemplaires, avec un tirage moyen de 60 000 dans la collection. On retrouve dans les milliers de titres parus entre 1905 et 1920 la quasi-totalité des succès populaires

---

16.   On pourrait encore citer, dans le genre larmoyant, le romancier et dramaturge Adolphe d'Ennery (*les Deux Orphelines*). On va voir réapparaître aussi le roman d'aventures exotiques : Gustave Aimard, Gabriel Ferry, etc.

depuis 1830. Eugène Sue conserve la vogue. Seul Victor Hugo, parmi les romanciers « bourgeois », figure dans les catalogues.

Les deux collections les plus célèbres de l'avant-guerre, sont « le livre populaire » déjà cité, chez Fayard, avec sa couverture en quadrichromie au dessin tapageur et « le livre national », chez Jules Tallandier, sur le liseré rouge duquel se détache le macaron portant le prix de vente.

Le lancement des feuilletons est favorisé par une publicité à grand tapage. Des affiches alléchantes s'étalent sur toutes les palissades. Les journaux lancent de grands concours : « Combien de fois peut-on composer le mot « Chéri-Bibi » avec un paquet de pâtes-alphabet ? » À l'entrée des bouches de métro, on distribue gratuitement les quatre premières pages du roman à paraître.

* * *

Parmi les romanciers les plus appréciés qui publient après 1870, il faut citer Jules Mary (1851-1922), auteur de *Roger-la-Honte*, inventeur du roman de l'erreur judiciaire, où l'enquête de police est subordonnée aux thèmes de la trahison, de la réhabilitation et de la vengeance. Pierre Decourcelle (1856-1926) a touché à tous les genres, du roman du « Martyre féminin » au récit revanchard. Tout aussi inépuisables et capables de se servir à tour de rôle des gaufriers « cape et épée », « orpheline persécutée », « justice poursuivant le crime », sont Arthur Bernède (1871-1927 ?), et Michel Morphy (1863-1928) ; celui-ci est connu pour l'auteur de *l'Ange du faubourg* et ses *Mystères du crime* préfigurent *Fantômas*, non sans joindre à la frénésie sanguinaire une forte dose d'anticléricalisme.

Après Georges Ohnet (1848-1918) et H. J. Magog (1877- ?), bien d'autres — Charles Mérouvel, Paul Bertnay, Jules de Gastyne, Madame Georges Maldague —, vont se lancer à leur tour dans la carrière de feuilletoniste.

Guy de Téramond et, plus tard, Marcel Priollet se spécialisent dans le genre sentimental. Michel Zévaco (1860-1918) inventeur du roman de cape et d'épée républicain est un des auteurs attitrés du *Matin*. Il suffit de citer, dans le genre policier, Gaston Leroux (1868-1927) et Maurice Leblanc (1864-1941) : leurs écrits ont trouvé jusqu'à nous un public sans cesse renouvelé.

La science-fiction est redevable à Gustave Lerouge *(la Guerre des vampires)* des premières expressions populaires du merveilleux scientifique. Jean de La Hire sera sans doute le premier à s'imposer au grand public dans le récit d'anticipation.

Le thème inépuisable du Paris de la pègre, de la misère et du crime se trouve réactivé dans un chef-d'œuvre de la Belle Époque : les *Bas-fonds de Paris*, d'Aristide Bruant. Le chansonnier qu'est Bruant a eu soin de farcir le récit du texte de ses rengaines les plus célèbres. Divers romanciers se sont mis à exploiter la veine revancharde : dans leurs romans d'altiers officiers français, de pures Alsaciennes se heurtent, sur le sol arraché à la mère-patrie, à d'abjects et ventripotents Prussiens, à des uhlans cruels et impitoyables. Bruant publie *la Fiancée de Lothringen* ; Arthur Bernède ravive l'enthousiasme patriotique avec le « cocoriquant » *Cœur de Française* [17].

Le succès le plus retentissant des années 1910 va aux *Fantômas* de Marcel Allain (1885-1969) et Pierre Souvestre (1874-1914), que nous étudierons à loisir dans un autre chapitre.

On les connaît mieux aujourd'hui que Léon Sazie dont l'imagination sans frein ne mérite pourtant pas cet oubli ; son *Zigomar* est le concurrent direct de *Fantômas*. Lui aussi, comme Marcel Allain, publiera, jusqu'à sa mort, en 1939, plusieurs centaines de romans.

Les types à succès sont inlassablement repris, *Fantômas*, devient *Férocias, Tigris, Satanas*, et, féminisé, *Miss-Téria, Fatala, Vampiria*. Le redresseur de torts, c'est *Judex, Fascinax*... Le cinéma s'empare de ces romans. *Fantômas* est porté à l'écran par Louis Feuillade (1913), *les Mystères de New-York* (de Pierre Decourcelle) par Gasnier (1914). Feuillade en vient à écrire ses propres romans en collaboration avec Arthur Bernède, avec un sens très aigu de l'action et du suspense : *Judex, les Vampires*...

Diverses collections, plus vulgaires, celles de la maison Essler, font paraître d'interminables récits sous la forme de fascicules hebdomadaires. Le sérial *Une demoiselle de magasin*, resté inachevé le 2 août 1914 au 105e fascicule (de 32 pages) roule tout entier sur une situation unique. C'est l'histoire d'une honnête ouvrière sans cesse livrée aux entremetteuses, aux enlèvements, à la prostitution, au viol, et cela par cas de conscience. À la fois Justine et Bécassine... C'est dans ces collections médiocres qu'apparaissent des genres nouveaux importés d'Amérique :

---

17. Cf. Marcel Priollet, *la Fille d'Alsace*, 1913.

ceux qui mettent en scène les Buffalo Bill, Nat Pinkerton, Ethel King :
la conquête de l'Ouest ou le heurt violent entre la pègre et une police
brutale et corrompue. Aux *Mystères de Paris*, succèdent *les Mystères du
Far West* (1916) [18].

* * *

Entre les deux guerres, cette production romanesque commence une
métamorphose qui nous conduit vers les formes de publications de masse
contemporaines. Spécialisation de genres fonctionnels : roman policier,
roman d'horreur, roman d'espionnage, « série-noire ». Désaffection pour
ce qui restait d'utopie socialisante dans certains récits. Universalisation
des genres et des motifs et disparition d'un circuit proprement populaire. En 1945, Fayard et Tallandier mettent au pilon les derniers
invendus qui encombrent leurs réserves.

18. Nous n'avons pas abordé, dans les pages qui précèdent, l'historique de certaines
formes spécifiques de paralittérature. Il faudrait par exemple se reporter à
notre bibliographie pour reconstituer, à partir de travaux dispersés, le développement et les thèmes de la chanson populaire. Pour l'époque que nous
évoquons ici — les années 1900 — il conviendrait de signaler les noms du
« réaliste » Aristide Bruant ; dans la même veine, de Léo Lelièvre ; dans le
genre vulgaire et cocasse, proche du comique troupier, de Dranem ; dans la
romance sentimentale, de Freyel ; un certain nombre de chansonniers rem-
portent un succès équivoque avec des complaintes anarchisantes et antimilita-
ristes (Montéhus, Paul Payette). En fait, nous ne voyons pas de travaux appro-
fondis tendant à synthétiser l'esprit d'une époque précise à travers sa thématique
chansonnière (cf. cependant Nisard, *la Muse pariétaire et la muse foraine*).
Pour prendre un autre genre particulièrement circonscrit, on connaît mal, et
pour cause, le développement du récit pornographique vulgaire. Assez limitée
et de faible diffusion avant 1899, la production pornographique connaît un
succès retentissant avec les Expositions universelles. Elle était vendue par
camelots, en même temps que les cartes transparentes. Elle se réfugiait également, sous forme de littérature « égrillarde » dans certains petits journaux
(*le Rabelais, le Faublas, l'Evénement parisien*) sujets à quantité de poursuites —
et dès lors difficiles à retrouver. Un nommé Blain, qui signait parfois Carl
Marx (!) s'était spécialisé dans le genre. Il y a là sans doute un fatras de niaise-
ries plus ou moins ignobles mais cette production ne renseignerait-elle pas,
d'une manière révélatrice, sur les obsessions latentes de toute une époque ?

CHAPITRE III

AUX ORIGINES : LE ROMAN NOIR EN FRANCE

Dans le domaine du fantastique, la littérature ne commence que lorsque la croyance est morte. Le diable ne devient un personnage littéraire que du jour où il cesse d'être réellement craint et redouté.

Dès lors qu'il n'y a plus de juge en France pour croire à l'intervention directe de Satan dans les affaires de sorcellerie, le diable perd sa caution officielle et ne peut plus qu'être *refoulé* (dans tous les sens de ce mot) dans le domaine de la fiction littéraire. C'est un phénomène que l'on peut observer au cours du XVIIIᵉ siècle.

Le rationalisme des Lumières ne fait évidemment pas grand cas du monde diabolique, sinon pour se moquer, comme le fera Voltaire, des vampires et des spectres, superstitions déchues et obscurantistes. Ce n'est pas chez Cazotte ou chez la comtesse de Murat, qui traitent des thèmes fantastiques sur un ton sceptique ou burlesque qu'il faut chercher les sources de la sensibilité « noire » ; pourtant, Baculard d'Arnaud pourrait déjà passer pour un des inventeurs de la topique feuilletonesque : déguisements, empoisonnements, identités mystérieuses, reconnaissances, démences subites...

Toutefois, le diable, le diable littéraire, et sa cohorte de monstres, de lutins, de vampires et de fantômes agitant leurs chaînes, se préparent à un retour en force.

Le roman noir

C'est en 1764, en Angleterre, que retentit le coup de gong qui marque l'irruption dans les salons et les cabinets de lecture de la sarabande frénétique du roman noir.

Une nuit de cette année-là — ainsi le veut l'anecdote — Horace Walpole, quatrième comte d'Orford, qui, par un penchant inavoué pour le Moyen Âge, s'était fait construire une sorte de château de style gothique, eut un rêve au cours duquel il vit une main gigantesque revêtue d'un gantelet d'armure s'abattre dans la cour d'un manoir.

Il est rare qu'un écrivain avoue qu'un rêve a été le point de départ de son œuvre, qu'il s'est laissé guider la main par son inconscient. Les surréalistes ne manqueront pas de se servir un jour de ce précédent prestigieux. Toujours est-il qu'en trois mois, sans reprendre haleine, en proie à une sorte de vertige de l'écriture automatique, il se mit à écrire un roman singulier, sorti de son expérience nocturne.

Ce fut *The Castle of Otranto*, le *Château d'Otrante*. Sombre histoire, qui se déroule dans une Italie du début de la Renaissance, pleine d'usurpateurs poursuivis par des spectres vengeurs, de statues animées, de chevaliers inconnus ; le *Château d'Otrante* était promis à un succès extraordinaire.

Dans cette époque, rationaliste et sceptique, pense-t-on, Walpole avait eu le courage de laisser courir son imagination parmi un tourbillon d'images jaillies de l'inconscient.

Le livre devait fasciner durablement ses contemporains. « Le roman nous a fait si peur, écrit Gray, que nous n'aimons plus nous coucher la nuit. » Les fantômes et les mystères d'Otrante allaient se propager en Angleterre avec une fécondité inégalée.

Ainsi naît dans un XVIIIe siècle finissant, travaillé par le retour à l'occultisme et par l'intérêt pour les Illuminés, ce qu'on a nommé en France le roman noir et en Angleterre le roman gothique, *the Gothic Novel*.

Ce terme de *Gothic Novel*, se comprendra par le sens premier, assez défavorable, donné à *gothic* : « *Word [which] originally conveyed the ideas of barbarous, tramontane, and antique and was merely a term of reproach* [1]. »

Plus tard, en France, on hésitera entre « roman noir », « sépulcral » ou « romantique », mots dont le sens paraît primitivement bien proche [2].

Ces romans où se conjuguent les effets de la terreur et du surnaturel, où se manifeste la volonté délibérée de plonger le lecteur dans un état d'angoisse et d'épouvante, vont rendre illustres les noms d'Ann Radcliffe, de Matthew-Gregory « Monk » Lewis, de Charles-Robert Maturin.

---

1. Cf. Montague Summers, *The Gothic Quest*, p. 37.
2. Cf. J. P. R. Cuisin, *les Fantômes nocturnes*, I, p. 3.

Ces romans sont bien peu lus aujourd'hui, et les histoires de vampires sont reléguées au cinéma de série B, dont certains réalisateurs anglais se sont fait les spécialistes.

Pourtant, il nous semble bien difficile de comprendre le romantisme européen si l'on néglige les centaines de romans noirs, gothiques, frénétiques — peu importe leur nom — produits en Angleterre et en France entre 1780 et 1840. Nous ne savons plus aujourd'hui ce qui nous ravissait hier, nous ne saurons pas demain ce qui nous enchante aujourd'hui.

Ann Radcliffe, dont *les Mystères d'Udolphe* eurent un prodigieux succès, mourut, dit-on, de la peur qu'elle s'était faite à elle-même. En réalité, cette protestante rationaliste conserva toujours vis-à-vis du mystère et du merveilleux une attitude ambiguë. Après avoir amené son lecteur à frissonner aux bruits des chaînes agitées par un spectre, à contempler avec horreur un cadavre grouillant de vers et abandonné dans une oubliette, elle croit nécessaire de donner dans les dernières pages du livre une explication raisonnable de ces phénomènes : le sifflement du vent à travers les fenêtres gothiques du vieux manoir a été pris pour les lamentations d'un revenant ; le cadavre n'était qu'un mannequin de cire dont les moines de l'abbaye s'étaient imposé la vue à des fins de mortification !

Chacun de ses romans laborieusement angoissants aboutit en outre à des conclusions à la gloire de la morale puérile et honnête. L'influence française, celle de Madame de Genlis et des prosateurs « sensibles », y est nettement perceptible.

Ann Radcliffe croit au triomphe de l'homme vertueux : « Le vice peut quelquefois affliger la vertu mais son pouvoir est passager, et son châtiment certain. » (*Mystères d'Udolphe*, Éd. Belfont, p. 600).

Certains imitateurs français de Radcliffe vont eux aussi prétendre n'accumuler tant de scènes d'épouvante que pour aboutir aux sages préceptes des romans de Delly et offrir « un consolant exemple de l'innocence dédommagée des cruautés et des souffrances dont elle n'est que trop souvent la victime ». (H. Duval, *Rose d'Altenberg ou le Spectre dans les ruines*, t. III, p. 252.)

Les successeurs de Radcliffe dans l'art de faire peur devaient cependant se montrer moins prudents ou plus conséquents. Matthew-Gregory Lewis, l'auteur du *Moine*, et Charles-Robert Maturin, père de *Melmoth, l'homme errant*, nous plongent dans les abîmes du mystère, de la violence et de la damnation. Le diable se retrouve comme le Grand Tentateur. Prince des ténèbres, il manipule ses noirs acolytes et propose aux ambitieux des pactes signés de leur sang où la punition éternelle est mise en balance avec le pouvoir terrestre.

Il faudrait encore au moins citer le célèbre *Frankenstein* de Mary Shelley. Ce roman publié en 1818 a pour héros le prototype d'une autre sorte de personnage fantastique : le monstre artificiel échappé des mains imprudentes du savant qui l'a créé.

Tandis que la critique conservatrice dénonce ces romans dans lesquels elle voit un poison pour la jeunesse et un stimulant à la débauche, ils se répandent peu à peu à travers l'Europe et déferlent à quelques années de distance sur la France où ils vont trouver des imitateurs, les uns prudents, les autres intrépides.

Dès 1810, les critiques du groupe « satanique » ou du clan des perruques, ne manquent pas une occasion d'expliquer — fort pertinemment — le succès du roman noir par la Révolution française, découvrant qu'en politique comme en littérature, tout peut désormais arriver, à commencer par l'impensable.

Or le seul, en ce temps-là, à avoir tout sacrifié pour penser l'impensable, Donatien de Sade, est aussi un des premiers en France à citer Radcliffe et M. G. Lewis dans son libelle *Idée sur le roman*. L'éloge généreux qu'il fait d'eux se double cependant d'un reproche essentiel. Lui aussi explique le règne du roman frénétique [3] par la secousse révolutionnaire. Mais il relève dans le *Gothic Novel* un décalage suspect des problèmes : si l'on peint le règne de la nuit, de la folie, d'Éros, du désordre et du mal, c'est pour les incarner dans des boucs émissaires pittoresques, alors que l'esprit de transgression est au cœur même de tous les hommes [4].

Dans sa *Lettre à Villeterque*, il écrit : « L'étude des grands maîtres m'a prouvé que ce n'est pas en faisant triompher la vertu qu'on peut prétendre à l'intérêt dans un roman ou une tragédie. » *L'Histoire de Juliette* est la clé qui permet de lire, en leur donnant une pleine signification, Lewis, Maturin, *le Vampire* de Polidori. C'est ce livre qu'on retrouve, estompé, dans les *Fantômes nocturnes* de Cuisin, dans *Han d'Islande*, dans le *Centenaire* du jeune Balzac.

---

3. « Ces romans nouveaux dont le sortilège et la fantasmagorie composent à peu près tout le mérite, *le Moine*, Radgliffe *(sic)* [sont] le fruit indispensable des secousses révolutionnaires dont l'Europe entière se ressentait. »
4. Le manuscrit de la première *Justine* est de 1787 ; le premier « Radcliffe » est de 1788. Cf. Maurice Heine, *le Marquis de Sade et le roman noir*, Paris, Gallimard, 1938 ; voir aussi, Mario Praz, *la Carne la Morte e il Diavolo nella letteratura romantica*, Florence, Sansoni, 1948.

Sade rend à l'homme ce qui lui appartient et fait s'évaporer du coup fantômes, monstres, vampires, diable même. On pourrait soupçonner que les grandes œuvres noires, en Angleterre comme en France, après 1800, ont été écrites sous la dictée et l'influence (inavouée) de Sade. Cette thèse n'est pas neuve. Mario Praz l'a excellement défendue, en reconstituant une filière qui va du marquis à Swinburne, à J. K. Huysmans, à Barbey d'Aurevilly.

Frédéric Soulié, dans *les Mémoires du Diable*, parle de l'œuvre de Sade comme d'un « frénétique et abominable assemblage de tous les crimes et de toutes les saletés » ; mais, justement, la lecture des *Mémoires* prouve à l'évidence qu'il a lu et pratiqué ces ouvrages « abominables »...

Dans les romans de Reveroni Saint-Cyr, de Cuisin, de sataniques héros sont accusés d'avoir puisé chez le divin marquis des exemples de perversion : « Desuyten, s'autorisant des paradoxes infâmes d'un livre trop fameux, ne marche plus désormais vers le Temple de Cythère qu'un fer aigu à la main. » (Cuisin, *Ombres sanglantes*, II, p. 72.)

Il reste à dire que cette influence sadienne passe par diverses médiations et subit plus d'une distorsion. On connaît mal, en général, l'importance, comme « tournant », du « drame monacal » qui fleurit au début de la révolution (vœux forcés, séquestrations, reconnaissances : tous les thèmes de Diderot transposés au registre de Sade.)

Les plus célèbres de ces « drames monacaux » sont *les Victimes cloîtrées*, d'un comédien qui se faisait appeler Monvel. Il profite d'un sujet d'actualité, puisque la Constituante vient de voter la suppression des vœux monastiques. On voit également, dans ce mélodrame avant la lettre, la source où M. G. « Monk » Lewis a puisé.

Mais la pièce de Monvel, transpose elle-même certaines situations de *l'Euphémie* de Baculard d'Arnaud (où toutefois la religion triomphe). Ainsi pourrait-on suivre, de France en Angleterre, un réseau dissimulé de thèmes obsessionnels. Toujours est-il que cette littérature de transgression, provisoirement coulée dans le moule du roman noir, où l'on passe sans cesse des « scènes à faire » conventionnelles à l'explosion rayonnante de découvertes verbales et oniriques *sans précédent*, va engendrer en France entre 1800 et 1848, avec une pointe sous Charles X, la publication de plusieurs centaines de romans noirs, de « Novels of Terror and Wonder », où l'influence de l'anglais reste souvent forte, mais qui ne sont ni des traductions, ni des adaptations.

Les « romans inspirés de l'Anglais » vont fournir d'emblée au *mélodrame*, apparu sous le Directoire, sa principale source d'inspiration.

Dès 1798, Cammaille Saint-Aubin, futur dramaturge à succès, auteur d'un *Ami du peuple, ou les Intrigants démasqués,* fait jouer une pièce intitulée *le Moine.* Plus tard, Anicet Bourgeois fera applaudir *la Nonne sanglante, le Spectre et l'orpheline.* Guilbert de Pixérécourt domine la scène du Boulevard pendant vingt ans en empruntant toutes ses intrigues aux romans anglais, au drame allemand (*les Brigands* de Schiller deviennent *Robert le Diable*) et aux romanciers français comme Ducray-Duminil ou Arlincourt [5].

Le roman noir apparaît comme la première forme de paralittérature dans la société nouvelle : littérature non reconnue, « scotomisée », méprisée, industrielle, s'imposant déjà dans l'antique circuit de colportage, liée au développement de la librairie et des cabinets de lecture, mais aussi littérature où se libèrent des thèmes et des obsessions refoulés dans la littérature de haute culture.

On prendrait sans doute quelque plaisir à lire aujourd'hui *le Château d'Albert, ou : le Squelette ambulant* (1799), *le Château noir, ou : les Souffrances de la jeune Ophelle* (1799) de Madame d'Ormoy Mérard de Saint-Just, *Albano, ou : les Horreurs de l'abîme* d'Élisabeth Guénard (1824), *le Château du mystère, ou : Adolphe et Eugénie* (1817) d'Anacharsis Brissot de Warville, et cent autres de ces œuvres oubliées dont les bibliographies de Pigoreau nous offrent les titres alléchants, sans compter la production de romanciers dont les noms, au moins, ne sont pas entièrement ignorés : Pigault-Lebrun, l'inépuisable vicomte d'Arlincourt... Œuvres admirables et séduisantes malgré toutes leurs faiblesses, en ceci qu'elles sont aujourd'hui si inassimilables à nos modes de penser, qu'elles nous forcent à considérer mil huit cent dix, mil huit cent vingt, comme des années littéralement perdues pour notre sensibilité, générations entraînées par l'inattendu de la rêverie noire dans un enfouissement temporel vertigineux. La platitude, la froide horreur, le frénétique de carton-pâte, la fulgurance d'une trouvaille, les naïvetés à faire rougir, les ficelles techniques absurdes, tout est là pour nous désorienter, pour affoler durablement la boussole du jugement littéraire.

---

5. Guilbert de Pixérécourt, né en 1773 à Nancy. Cent vingt pièces de 1798 à 1834 (*le Château des Apennins,* d'après Radcliffe, 1799 ; *le Solitaire de la Roche noire ;* etc.). Le théâtre « sépulcral » est inséparable des parodies, plus ou moins réussies, que l'on peut applaudir sur les mêmes scènes pendant toute cette époque. Cf., par exemple, A. Martainville, *Rodéric et Cunégonde ou l'Hermite de Montmartre* (1805).

Dans cette énorme production brillent d'un éclat particulièrement incandescent au milieu d'un amas de scories, quelques œuvres vraiment originales.

Nous citerons *Lord Ruthwen, ou : les Vampires* de Cyprien Bérard, œuvre à laquelle l'intervention de Charles Nodier n'est pas étrangère, lui qui introduit le frénétisme en France avec *Smarra, ou : les Démons de la nuit*. On pourrait redécouvrir les nouvelles de J. P. R. Cuisin telles que *les Ombres sanglantes* et *les Fantômes nocturnes*, où se projette l'ombre de Sade ; on vient de rééditer les premiers Balzac, par exemple *le Centenaire*, où Melmoth, devenu Beringheld, préfigure les grands héros balzaciens. Mais l'œuvre la plus insoutenable de ce temps me semble *l'Âne mort* (1829), de Jules Janin dont nous parlerons plus loin. Et les bousingos : Borel, Lassailly, Philarètes Chasles « individualisent » parfois à l'excès la topique noire. Ici, règne un mauvais démiurge : « Je me dis il existe un Dieu, une main a créé ce que je vois pour le mal. » (*Histoire de Juliette*, II, p. 341, édition originale.) Ce mal est vu d'emblée comme l'envers d'un « ordre » social qui ne tient qu'à *un fil :* « Que me font nos mœurs de salon, écrit Jules Janin, dans une société qui ne vivrait pas un jour si elle perdait ses mouchards, ses geôliers, ses bourreaux... »

Cet anti-monde, sur lequel s'étend inévitablement un ciel d'orage strié d'éclairs, connaît invariablement un seul *décor* topique, qui, du reste, est bien plus qu'un décor, et comme la source intarissable de l'imaginaire noir.

« La partie permanente du roman noir, écrit Jean Roudaut, n'est plus son intrigue, ses thèmes, mais son décor : un château — « austère nid d'aigle » composé de salles délabrées et humides construites sur des infrastructures souterraines qui en constituent l'élément le plus important [6]. »

Ce château, à la fois prison et labyrinthe, prend place dans un paysage mental, commun au roman noir et au surréalisme. Le lecteur suit le héros qui, sans fil d'Ariane, s'enfonce dans des couloirs qu'éclaire faiblement une lanterne sourde. Le château *naît* de cet itinéraire, du voyage initiatique des donjons aux profondeurs : itinéraire double, réaliste et onirique.

---

6. Jean-Roudaut, « les Demeures dans le roman noir », *Critique*, n° 147-148, p. 717.

C'est pour arriver, peut-être, dans une immense salle :

Un trône de fer était au milieu posé sur un énorme fourneau :

un squelette tenant un sceptre d'une main et ayant une couronne sur sa tête était attaché sur ce trône. On voyait par la contraction des os de sa figure et des jointures qu'il avait terminé sa vie dans des tortures abominables.

Voilà ce qu'on lit dans *Barberinski, ou : les Brigands du château de Wissegrade* de Madame du Nardouët.

Si cette phrase ne vous fait pas frissonner, refermez le livre, vous êtes un mauvais lecteur de romans noirs. Les personnages, eux, « dévorés par une épouvante inexprimable » sentent « leurs cheveux se dresser sur leur tête et une sueur froide leur perler au front ». Au reste, c'est bien ce genre d'effet que recherche le romancier noir. « Si nous parvenons, écrit calmement J. P. R. Cuisin, à clouer en quelque sorte une femme, sur une chaise, au point qu'elle n'ose plus tourner la tête d'aucun côté sans craindre de rencontrer une griffe infernale », nous aurons atteint notre but !

Spectres

Dans un certain nombre de ces romans, le diable et les vampires s'abstiennent de paraître. Les fantômes par contre se multiplient.

Toutes ces histoires de revenants se ressemblent étrangement. Il y a presque inévitablement une jeune fille fraîche et pure dont la naissance est un mystère et qu'une bande de personnages monstrueux séquestre dans un château en ruine.

Ils en veulent alternativement à sa fortune ou à sa vertu et se répandent en menaces odieuses qu'ils mettent d'ailleurs rarement à exécution.

C'est alors qu'apparaît le fantôme sorti du néant pour se constituer protecteur de l'innocence.

Il épouvante toujours un peu la jeune fille mais, en fin de compte, c'est à ses tortionnaires qu'il s'attaque. Son intervention vient à bout des forces diaboliques.

La jeune fille retrouve son nom, sa fortune et éventuellement un fiancé qu'elle croyait perdu.

On voit que dans cette première formule, l'optimisme triomphe. Quoique redoutable, le fantôme est un agent de la justice immanente.

Louis Vax propose un théorème de la phénoménologie spectrale : s'il parle, on ne le voit pas ; si on le voit, il ne parle pas.

— Espérez, répéta une voix basse et sépulcrale comme si elle fût sortie du centre de la terre.

Minuit sonna dans ce moment (...) un bruit de chaîne se fit entendre dans la galerie, accompagné de lugubres gémissements.

De longs éclats de rire qui allaient s'éteindre dans un concert de sanglots puis des râles affreux... le tout assaisonné des plaintes du vent de bruissements de feuilles, de glas de cloches fêlées [7].

Voici, par contre, un des premiers fantômes « visuels », celui des *Mystères d'Udolphe* :

There appeared (...) a human figure of ghastly paleness stretched at its length and dressed in the habiliments of the grave. What added to the horror of the spectacle was that the face appeared partly decayed and disfigured by worms which were visible on the features and hands.

Et voici quelques autres fantômes, visibles et muets, mais tous hélas bien conventionnels :

Alors un fantôme sort de l'alcôve et court se placer entre Morano et Césario menaçant l'un d'un poignard et l'autre d'un pistolet...

Lorsque tout à coup une grande figure couverte d'un drap mortuaire parut sortir d'un des angles du mur...

... une forme blanche, aérienne, transparente qui, sans paraître toucher le parquet, s'avança flottante vers mon lit...

Vampires

Si les romans à fantômes paraissent par trop désuets, venons-en au thème protéiforme du vampirisme.

Le premier roman sur ce thème fut *The Vampyre* (1819), du Docteur Polidori, ami de Shelley et de Byron. On y raconte la sombre histoire de Lord Ruthwen, qui, ayant dissimulé son état de vampire sous des dehors mondains, a circonvenu une noble famille anglaise, s'est fait aimer de la jeune fille, devenue vampire à son tour au contact du hideux baiser de son amant. Ses frères vont parcourir le monde à la recherche du monstre. C'est la lecture de légendes allemandes qui avait amené Polidori à ressusciter ce personnage fantastique.

---

7. H. Duval, *Rose d'Altenberg*, p. 114 ; Madame du Nardouët, *Barberinski, ou : les Brigands du château de Wissegrade*, I, p. 63 ; Méry, *les Nuits anglaises*.

Les Français vont prolonger ce succès britannique : Cyprien Bérard donne son *Lord Ruthwen* ; Nordier, un mélodrame intitulé *le Vampire* ; Dumas et Maquet, un autre mélo sous le même titre, le meilleur de la série. Mérimée reprend le thème « le Vampire » (dans *la Guzla*), thème qui ne cessera de hanter Honoré de Balzac.

Le personnage du vampire illustre au plus haut point ce paradoxe du héros romantique : marqué par une fatalité incontrôlable, coupé de l'humanité, il cache sa perfidie inéluctable sous des dehors séduisants. C'est un mélange ambigu de beauté et de méchanceté, d'amour et de désir hideux. Il introduit dans la littérature, sous le masque du fantastique, une forme sauvage d'érotisme.

Mais on voit ici à quel point le marquis de Sade avait raison dans ses réserves face au roman noir.

Le désir sadique est profondément ancré au cœur de l'homme. La mort et l'amour sont rapprochés dans une mythologie effrayante. Mais pourquoi dissimuler cette évidence sous ce personnage du vampire, au fantastique de grand-guignol. Le loup-garou est une machine à faire peur, mais qui n'en perçoit pas la fonction symbolique ?

Autre caractéristique du vampire : il est immortel. On n'en vient à bout qu'en transperçant sa poitrine avec un pieu aigu. « Le génie du mal ne meurt jamais pour le crime et tel est l'horrible privilège du vampire [8]. »

Ce fut Charles Nodier qui introduisit le frénétisme et le vampirisme en France. Ce « doux rêveur », bibliothécaire de l'Arsenal, chercheur, botaniste, folkloriste, historien, avait été chargé de missions officielles sous l'Empire dans les provinces d'Illyrie. Il avait pu recueillir sur place des légendes que son imagination singulière avait amplifiées.

On peut relire aujourd'hui : *Lord Ruthwen, ou : les Vampires* ; *Smarra, ou : les Démons de la nuit* ; *Tribly, ou : le Lutin d'Argail*, œuvres admirables où le rose de la fantasmagorie tourne parfois au vert cadavéreux.

Au reste, quelques années plus tard, la France allait rester fascinée par l'aventure du sergent Bertrand. Cet honnête militaire, menant du reste une vie rangée, changeait parfois inopinément de personnalité. Il fut convaincu en 1847 d'avoir violé des sépultures, profané des cadavres et de les avoir un peu dévorés. On découvrait ainsi que la chronique judiciaire rejoint parfois les fictions les plus aventureuses.

---

8. *Lord Ruthwen, ou : les Vampires*, II, p. 174.

Une des variantes les plus célèbres du thème vampirique est le personnage de la *Nonne sanglante*, emprunté à l'origine par M. G. Lewis à un conte de K. A. Musaeus. Cet épisode du *Moine* devait être à plusieurs reprises extrait du récit et porté à la scène. Anicet Bourgeois en tira, par exemple, un mélodrame à succès ; Charles Nodier ne manque pas de l'évoquer à son tour : « C'était une religieuse couverte d'un voile et vêtue d'une robe souillée de sang. Elle tenait d'une main un poignard et de l'autre une lampe allumée [9]. »

Dans sa fameuse *Légende de la nonne*, Victor Hugo s'inspire de ce type conventionnel, et l'on sait que J. P. Weber considère le mythe de la « Nonne sanglante » comme l'un des thèmes génétiques de Baudelaire.

Le Diable

Mais jusqu'à présent nous n'avons vu que des comparses. Il est temps que le Diable entre en scène.

Le Diable, dont au XVIIIe siècle Lesage et Cazotte avaient fait un personnage malin, ironique et mondain, fait irruption sous une apparence bien moins rassurante.

C'est bien Lucifer, celui-qui-porte-la-lumière, mais qui est devenu le maître des ténèbres. Son image obsède Goethe comme Byron, Lamartine comme Hugo. Il est présent dans la poésie comme dans la prose, au théâtre comme dans l'épopée.

Les thèmes de la Chute, du Pacte, du Rachat, de la Tentation se répètent et se métamorphosent d'une œuvre à l'autre.

« Tous les romantiques, écrit Roger Caillois, avaient pris le Parti de Satan, de Caïn ou de Prométhée, les chantant dans leurs œuvres ou leur substituant des héros qui semblent les calques de ces grandes figures. »

« C'était bien l'Ange déchu que la poésie a rêvé, écrit Frédéric Soulié. Type de beauté flétri par la douleur, altéré par la haine, dégradé par la débauche, il gardait encore, tant que son visage restait immobile, une trace endormie de son origine céleste [10]. »

C'est lui qui est apparu à Faust, au moine Ambrosio, à l'Irlandais Melmoth, leur proposant un pacte où le Tentateur dissimule un marché qu'il croit avantageux.

À l'instar de certains contrats d'assurance dont on ne lit jamais les articles en petits caractères, les pactes du diable contiennent toujours

---

9. Nodier, *Infernaliana.*
10. *Les Mémoires du Diable,* I, p. 28.

des dispositions imprévues. *Le Pacte infernal* de Nodier donne 40 ans de vie à sa future victime mais, selon le diable, il s'agissait de 20 ans de jours et de 20 ans de nuits.

Melmoth essaiera toute sa vie de se débarrasser du contrat qui le lie à Satan en le faisant accepter par quelqu'un d'assez désespéré pour le reprendre en charge. En vain. À la fin du livre le démon viendra l'emporter, plus heureux en cela que Méphistophélès avec Faust.

Le pacte des *Mémoires du Diable* de Frédéric Soulié est fondé sur une bourse magique dont Luizzi doit donner une pièce chaque fois qu'il fera appel à la puissance des Ténèbres.

Les Mémoires du Diable, qui eurent un brillant succès qu'on peut qualifier de succès de scandale, reposent sur une action très complexe. Mais la valeur symbolique du livre est exemplaire : Luizzi, guidé par le diable, cherche le bonheur à travers tous les milieux sociaux de la France de 1830. Mais au lieu du bonheur, il ne rencontre que l'hypocrisie et le mal. « Sur tous les degrés de l'échelle sociale, le vice et l'infamie (...) Vol, faux, trahison, rapt, adultère, guet-apens, viol, assassinat, bigamie, débauche, inceste, fratricide, parricide [11] » ; cette description de l'aristocratie et de la bourgeoisie françaises ressemble étrangement au registre d'écrou des galères.

Jamais la société de ce temps ne s'était reflétée dans un miroir aussi sombre et l'on commence à voir que le diable de Frédéric Soulié n'est pas un Méphistophélès d'opéra, « une plume au chapeau et l'épée au côté, comme un vrai gentilhô-ômme... » Satan ne sert à Frédéric Soulié que pour montrer une société satanique. La littérature vers 1830 ne produit tant de monstres fantastiques que parce que le Français découvre que la société produit des monstres réels. On passe insensiblement du fantastique noir au *réalisme noir*.

Le réalisme noir

Peu à peu le diable perd ses acolytes conventionnels, vampires, possédés, monstres humains et les remplace par des héros qui incarnent le mal social, qu'ils soient hideux comme *Han d'Islande* ou d'une beauté fatale comme *Jean Sbogar*.

Le public découvre le monde du crime, celui de l'aristocratie de l'argent comme celui de la pègre ; tout se renverse : le banquier inhumain, l'usurier intraitable qui sucent le sang d'honnêtes ouvriers valent bien n'importe quel vampire. Le fantastique se déverse alors dans *ce*

---

11. A. Nettement, *le Feuilleton-roman*, p. 404.

que l'on prétend être le réalisme. Par un renversement radical, la haute société devient monstrueuse, tandis que les « basses classes » ne produisent plus que des prostituées vertueuses et des forçats innocents. Les thèmes de la Vengeance, de l'Innocence persécutée subsistent, seuls les fantômes ont disparu. On découvre vers cette époque (alors que Vidocq publie ses *Mémoires*) la pègre des grandes villes. « Des hommes sans aveu, des êtres inconnus et malfaisants sortent pour ainsi dire des égouts aux jours néfastes de la patrie [12]. »

Il y a une tendance très forte à concevoir la Révolution française qui a enfanté cette société nouvelle comme une entreprise littéralement diabolique. Il ne s'agit pas d'une image.

Certains de ceux qui ont vu, en une génération, s'effondrer un régime politique séculaire, qui ont vu le couperet de la guillotine trancher le col du dernier monarque de droit divin, expriment leur conviction que le diable, nullement littéraire cette fois-ci, a tiré les ficelles derrière le décor. Eugène de Bouly de Lesdain est l'auteur d'un roman noir intitulé *le Règne du Diable* (1846). Il reproche aux sans-culottes de s'être faits les zélateurs d'un « culte horrible et déplorable puisqu'il devait exiger des sacrifices humains, puisque ses prêtres devaient se faire égorgeurs d'hommes pour satisfaire à la divinité qu'ils adoraient [13] ».

Progressivement, le diable se retire de la scène, mais s'incarne dans des personnages possédés en qui luttent le désir du bien et une fatalité mauvaise. Ainsi se constitue un type bien proche de l'ange déchu de Milton. Il porte à travers la vie une destinée marquée par le péché et le malheur. « Ses yeux perçants semblent pénétrer d'un seul regard dans les profondeurs du cœur des hommes et y lire leurs plus secrètes pensées [14]. » Le thème du pacte satanique ne disparaît pas, mais du fantastique on passe au réalisme.

C'est Vautrin qui, sous les traits de Carlos Herrera, propose à Lucien de Rubempré de lui racheter sa vie pour quelques milliers de francs, d'en faire sa créature, et ce pacte-là le conduira comme on sait au suicide. Le Tentateur est devenu ici un forçat en rupture de ban, mais la valeur symbolique du thème n'a pas varié.

Le plus effroyable de tous les romans noirs, pour notre sensibilité actuelle — est paradoxalement un pastiche de ce genre à la mode, œuvre de jeunesse de Jules Janin : *l'Âne mort et la femme guillotinée.* Dans une intention burlesque, Jules Janin voulut transposer dans un

---

12. E. de Bouly, *le Règne du Diable*, p. 66.
13. *Ibid.*
14. Ann Radcliffe, *l'Italien*, III, p. 80.

cadre et avec des motifs réalistes les thèmes, les personnages et la frénésie du roman noir « ordinaire ». Il parvint ainsi à écrire un récit étrangement « moderne », décrivant un monde d'où toute valeur serait bannie
et que nous devons cependant reconnaître pour nôtre. L'histoire d'Hen-
riette, des débuts idylliques aux derniers chapitres kafkaïens, constitue
peut-être l'œuvre la plus insoutenable de cette époque.

Le prétendu roman réaliste procède tout entier du fantastique noir.
Quelle meilleure preuve en donner que la carrière de Balzac : entre
1822 et 1825, le jeune amant de Madame de Berny, désargenté, n'est
rien d'autre qu'un auteur de romans noirs. Les romans de jeunesse qui
jamais ne furent repris dans les *Œuvres complètes*, comportent un
roman « gothique » : *Clotilde de Lusignan*, et deux remarquables romans noirs, *le Vicaire des Ardennes* et *le Centenaire*. On y trouve à
l'état d'ébauche et sous une forme irrationnelle les grands thèmes de la
Comédie humaine : le pacte, l'ambition satanique, la société secrète, la
conservation du fluide vital. *Le Centenaire* est proche parent de *Melmoth*,
mais certains passages préfigurent *l'Histoire des XIII* ou *Illusions
perdues*.

Il me semble ainsi que le romancier du XIXᵉ siècle, rejetant peu à
peu un attirail démodé, ait fini par rejoindre l'opinion du marquis de
Sade : la monstruosité est dans l'homme, dans la société, et non pas
enfermée dans je ne sais quel château des Alpes ou des Pyrénées.

> Même dans l'horreur, écrivait Jules Janin — qui avait beaucoup
> fréquenté l'œuvre sadienne —, la nature morale [est] au moins
> l'égale de la nature physique. La lèpre du cœur est aussi hideuse
> que toute autre et puisqu'il nous [faut] de l'horreur à toute force,
> c'eut peut-être été chose sage de ne pas s'arrêter à des tortures
> physiques [15].

*   *   *

Le grand roman populaire prométhéen, dont nous traçons au chapitre suivant les traits dominants, transpose dans le champ de ce qu'on
perçoit comme « réaliste », un grand nombre de *lieux communs* empruntés au roman noir. De la confrontation des topoï « gothiques » et
des maximes idéologiques du romantisme social naît vers 1840 une forme
narrative à la fois spécifique et labile qui *refoule* le matériau fantastique non sans que se produise un *retour du refoulé* dont nous examine-
rons les effets.

---

15. *L'Ane mort et la femme guillotinée*, p. 73.

CHAPITRE IV

ÉLÉMENTS D'UNE TYPOLOGIE
DU ROMAN POPULAIRE

Champ de recherche

On peut rassembler sous le vocable commode de « roman populaire » une masse de récits allant de la naissance du feuilleton dans
le journal *la Presse*, d'Émile de Girardin, en 1836, jusqu'aux innombrables collections « à soixante-cinq centimes » des Fayard, Rouff, Ferenczi, Tallandier, encore florissantes jusqu'au Front populaire [1].

Toutefois, au premier regard, seuls des critères sociologiques don-
nent quelque unité à ce tohu-bohu « infralittéraire » où, des situations
frénétiques du vieux mélodrame et des thèmes abâtardis du romantisme
social sont nés différents genres mieux circonscrits, roman policier,
roman d'aventure, roman « pour midinettes », roman patriotard, roman
d'espionnage (vers 1920), etc.

Il nous paraît possible pourtant de caractériser par d'autres traits
que la simple dégradation des procédés littéraires de haute culture, une
tendance dominante qui, des *Mystères de Paris* à *Judex*, nous semble
comme le tronc dont sont issus à diverses époques des surgeons plus
ou moins vigoureux. Nous voudrions donc proposer une caractérisation
assez détaillée de cette forme par excellence du roman populaire à laquelle correspondent les grands succès romanesques des Sue, Dumas,
Montépin, Ponson du Terrail, Jules Mary, A. Bernède, P. Decourcelle, etc., et dont la structure s'oppose radicalement à celle du roman
« cultivé » qui lui est contemporain. Il s'agira en outre de décrire un

---

1. Le prix de 0,65 franc par lequel il est commode de désigner ces différentes
collections est celui imprimé en cocarde sur la couverture, avant la Première
Guerre mondiale.

ensemble significatif de fonctions, d'invariants et de figures narratives
en dehors de toute appréciation esthétique a priori, mais non sans
risquer quelques hypothèses qui expliqueraient l'origine de cette sorte
de récit.

Roman du héros prométhéen

Si Rodolphe, prince de Gérolstein, s'enfonce incognito dans les
ruelles sombres et pourries de la Cité, c'est qu'il lui tient à cœur, dit-il,
de « jouer un peu ici-bas le rôle de la Providence [2] ». (*Les Mystères
de Paris.*)

Par cette initiative romanesque littéralement *exorbitante*, le paternalisme bourgeois, incarné dans Rodolphe, pénètre dans « les bas-fonds
de la Cité », où vivent « d'autres barbares... aussi en dehors de la civilisation que les sauvages peuplades si bien peintes par Cooper ». Le
feuilleton qui vient de naître transgresse ainsi la clôture du monde
bourgeois, assimilé pourtant dans la citation de Sue — *quid juris ?* —
à la civilisation elle-même [3].

Ainsi naît un type de héros prométhéen dont le programme, que
trace Sue, sera imité par tous ses successeurs : « secourir d'honorables
infortunes... poursuivre d'une haine vigoureuse le vice, l'infamie, le
crime ». Héros surhumain, « plus fort, plus riche et plus intelligent
que le monde entier [4] », solitaire cependant, investi d'une mission à
double face, punir et récompenser. Il doit savoir « punir aussi implaca-
blement qu'il sait grandement récompenser », s'arrogeant le droit de
faire justice lui-même « au mépris des usages et des lois », l'auteur le
plaçant dans des circonstances qui ne lui permettent pas de s'adresser
à la société civile [5]. C'est celui qu'on a nommé le *redresseur de torts,*
variante moderne du chevalier errant qui avait survécu dans la littérature de colportage.

Le héros du feuilleton ne bute que devant un seul obstacle : l'argent ; qu'il soit un bandit généreux ou un héritier de grande famille, on
ne peut se dissimuler que sans argent, il ne pourrait rien. Ainsi la fatalité de l'inégalité de fortune ne cesse d'apparaître derrière les hauts
faits de ces Saint-Georges modernes.

2. *Mystères*, II, chap. 7.
3. M. Morphy, *Vampire*, 50 ; G. de Téramond, *la Cave aux lépreux* ; E. Sue,
Mystères, I.
4. A. Nettement, *le Feuilleton-roman*, II, p. 377.
5. Bernède et Feuillade, *Judex*, p. 60 ; Priollet, *l'Espionne des palaces*, p. 30.

Le marquis de Rio-Santo, héros de Paul Féval dans *les Mystères de Londres*, est une réplique de Rodolphe. Le comte de Monte-Cristo agit selon le même schéma, « seulement, note, toujours pertinemment, A. Nettement, Rodolphe est mû par un esprit d'expiation, Edmond par un esprit de vengeance [6] », et de vengeance personnelle, comme c'est le cas de Raphaël, chez Xavier de Montépin dans *les Oiseaux de nuit*. Le problème de la fortune est résolu plus élégamment par Dumas (le trésor de l'abbé Faria) que par Eugène Sue (Rodolphe tire son revenu des impôts perçus sur ses sujets).

Bientôt, on s'efforce de créer des héros qui ne doivent leur victoire sur le mal qu'à leurs propres mérites : tel sera *le Chiffonnier de Paris* de Félix Pyat, le crocheteur Salvador des *Mohicans de Paris*, d'Alexandre Dumas et P. Bocage. Ponson du Terrail avait imaginé Armand de Kergaz, tout pareil à notre prototype : « continuons à faire un peu de bien, à soulager ceux qui souffrent... à punir ceux qui ont attiré sur leurs têtes de justes châtiments [7] ». Ayant malencontreusement fait périr son héros, le feuilletoniste fut obligé de mettre en avant un personnage secondaire, Rocambole, promu au rôle de Génie du Mal, puis par un ultime avatar, dans *la Résurrection de Rocambole*, repentant et désireux de faire le bien (1866). Moins phraseur que Rodolphe, Rocambole incarne habilement l'alliage de « la gouaille parisienne et de la révolte byronienne [8] ».

Georges Mahalin invente « Mademoiselle Monte-Cristo », qui n'a de commun que le nom avec le héros de Dumas. Fortuné du Boisgobey fait agir Marcel dans *les Mystères du nouveau Paris*. Il a fait fortune aux Amériques : « Je reviens, dit-il, pour récompenser et pour punir [9]. » Le Docteur Noir, dans *les Mystères du crime* de Michel Morphy, met sa puissance bénéfique dans la lutte contre l'infâme défroqué Caudirol. Barnèche, médecin de *la Canaille de Paris* (Turpin de Sansay) poursuit une vengeance criminelle contre la haute classe corrompue de la société parisienne [10]. Toutes ces œuvres datent du second Empire ou des débuts de la IIIe République. On trouverait des dizaines d'exemples plus tardifs.

Le *Judex*, de Louis Feuillade et Arthur Bernède, obtint, peu avant la Première Guerre mondiale, un formidable succès, tant comme

---

6. Nettement, *op. cit.*, II, p. 382.
7. *Le Club des valets de cœur*, p. 10.
8. Regis Messac, le *Detective-novel*, p. 474.
9. F. du Boisgobey, *les Mystères du nouveau Paris*, I. p. 50.
10. « Il se pencha sur elle et versa dans l'oreille de la jeune femme le plomb fondu... — Encore un membre de cette famille disparu !... ricana-t-il. Maintenant, je défie l'univers entier de trouver trace de mort violente sur cette femme ! » (*la Canaille de Paris*, p. 90.)

roman que comme film. Énigmatique héros, drapé dans sa cape noire un peu anachronique, Judex poursuit pendant trois volumes « son œuvre de justicier », acharné à la perte de l'ignoble banquier Favraux auquel il réserve des supplices moraux particulièrement raffinés [11]. Autre redresseur de torts, dans *les Briseurs d'amour* d'H. G. Magog : « René Candier avait mis au service de la cause des humbles et des malheureux non seulement son ardente jeunesse, sa parole chaleureuse, mais jusqu'aux modestes ressources dont il disposait [12]. » *Lord Lister*, le roi des criminels, héros d'un fameux sérial, est un voleur bienfaisant : s'il détrousse les riches, s'il « empêche de dormir tous les usuriers et hommes d'affaire véreux », c'est qu'il s'est imposé une lourde tâche. Écoutons-le : « Je suis celui qui, depuis un an, cherche, sous le pseudonyme de Sinclair, à rétablir l'équilibre entre la classe de ceux qui possèdent et celles des meurt de faim [13]. »

Aux origines de l'anticipation scientifique, le héros prométhéen devient véritablement surhumain. Tel est Mathias Sandorf, de Jules Verne, qui ressuscite sous le pseudonyme transparent de Docteur Antékirtt. (Jules Verne dédia son *Mathias Sandorf* à Dumas fils, en souvenir du *Monte-Cristo* de son père.) Tel est le capitaine Nemo, à bien des égards [14]. Tel est le savant naturaliste Prosper Bondonnat en lutte comme Cornélius Kramm, chez Gustave Lerouge. Tel est encore le mystérieux Nyctalope, héros de Jean de la Hire. Tel est enfin, Léandre Biche qui met au service du bien ses pouvoirs télépathiques dans le feuilleton des années vingt : *Satanas*, de G. Bernard [15].

Le héros prométhéen fréquemment reste dans l'ombre. Le romancier retardera son apparition. Nous touchons ici au type du « mystérieux étranger », du « solitaire inconnu ». Il se déguise volontiers : « Rocambole changeait de visage comme nous changeons de blouse, nous autres. » Son mode d'être le plus révélateur : seul, sur une hauteur, contemplant l'horizon, les bras croisés sur la poitrine [16]. Le romancier toutefois ne manque pas de le flanquer d'un « écuyer » comique : Coquentin est à Judex, ce que Murph est à Rodolphe de Gérolstein, ce que Sancho Pança est à Don Quichotte.

---

11. Bernède et Feuillade, *Judex*, prière d'insérer.
12. H. G. Magog, *les Briseurs d'amour*, p. 29.
13. *Lord Lister*, I, p. 26.
14. Voir *Mathias Sandorf*, Edition Hetzel, p. 273 : « En effet, depuis quinze ans punir et récompenser, telle avait été la pensée constante du Dr Antékirrt. »
15. Au sous-titre curieux, *les Drames de la T. S. F. humaine*.
16. Par exemple : Paul Féval, *le Fils du Diable*, VII, p. 245 ; Ponson du Terrail, *Rocambole*, Fayard, VIII, p. 20.

Par une nécessité plus forte que tout vraisemblable romanesque, enfin, le héros prométhéen est immortel. À la fin du récit, il disparaît de la scène du monde : « Est-il mort ? Reviendra-t-il ? » En fait il n'est jamais tué ; du reste Edmond Dantès est un ressuscité, comme l'est le Docteur Antékirtt. Ils ont subi des épreuves qui les placent au-delà de la mort. « Est-ce que Rocambole peut mourir ? » s'étonne un personnage de Ponson du Terrail [17].

* * *

On sait que Lucien Goldmann, reprenant la *Théorie du roman* de G. Lukàcs et les analyses de René Girard, définit le roman tel qu'il s'est développé dans la société bourgeoise depuis le XVIe siècle, comme le récit *ironique* d'une recherche *démoniaque* de valeurs *authentiques* dans une société *dégradée*, type de récit dont l'issue est nécessairement l'échec, l'abandon par le héros de sa quête de valeurs, sa *conversion* à la solitude ou son retour au groupe.

Le grand roman populaire du XIXe siècle serait alors, par un renversement radical de la problématique, le récit positif d'une quête prométhéenne de valeurs authentiques dans une société régénérée.

Qu'on y prenne garde toutefois : il ne saurait être question de présenter le roman populaire comme une forme narrative « authentique », « révolutionnaire ». L'affaire est plus complexe. Les valeurs que porte le héros sont données pour « authentiques » dans la mesure où, si l'on n'admet pas ce postulat, la logique *interne* du récit disparaît. Le paternalisme social de Rodolphe de Gérolstein peut nous sembler intolérablement aliénant, de même que les rêveries d'amour-passion et de vie mondaine d'Emma Bovary ne sont pas partagées par le lecteur. Toutefois, dans le roman de haute culture, le narrateur, par ce que Lukàcs nomme son *ironie*, dépasse, de façon abstraite, le niveau de conscience de son héros. Dans le roman populaire, le redresseur de torts, habité de valeurs immanentes, est le porte-parole de l'auteur qui exprime à travers lui les limites de sa propre conscience morale et sociale. Le roman populaire propose un dépassement onirique de l'injustice sociale et s'adresse ainsi, ambigument, au prolétariat. Il n'en est pas moins l'expression aliénée, en marge de l'idéologie dominante et en regard des socialismes utopiques, des contradictions de la bourgeoisie libérale qui veut aller au peuple sans renoncer aux avantages de sa position. Nous essaierons toutefois de montrer que ce type de roman qui,

---

17. *Rocambole, ibid.*

dans le prolétariat urbain, a été au XIXe siècle la lecture dominante, fait écho à certains égards, aux prises de conscience de la classe ouvrière.

Eugène Sue, qui dans ses romans antérieurs suit le schéma « bourgeois » (*Arthur* : valeurs dégradées, mort du héros), donne avec *les Mystères de Paris* (1841) le premier de ces récits équivoques de la désaliénation, point de convergence du *Gothic Novel* et du romantisme social.

Manichéisme des valeurs

Le *Gothic Novel* des années 1820 était le roman du paradoxe moral, du Beau Ténébreux, déchiré entre l'appétit du bien et la fatalité qui le pousse vers le mal. Ce conflit ontologique, s'il subsiste au roman populaire, n'est plus que la contradiction accidentelle entre l'apparence et la réalité. D'où ces titres à deux faces : *Noble et bandit* [18], *Traître et ministre* [19], ou, au contraire, *Chaste et flétrie* [20], *le Crime d'une sainte* [21].

Pourtant, il arrivera fréquemment que le Mal, qui peut se disperser en une série de *Villains* réunis par des liens inavouables et insoupçonnés (cf. *les Mystères de Paris*), s'incarne au contraire en un « héros noir », « un démon du mal [22] », tel ce « génie du mal, la figure étrange et terrifiante du défroqué Caudirol » dans un des plus frénétiques romans de Michel Morphy, *le Vampire* (vers 1860). Il y a là une focalisation dans la lutte manichéenne :

> Face à face tout à coup le bien et le mal dans la lutte la plus étrange que l'on pût imaginer... [23].

> Entre le mauvais génie et moi, c'est désormais une lutte sans merci [24].

Cette opposition des valeurs engendre ses propres lois :

— pas de punition durable pour celui qui est du côté des bons, sauf s'il se l'attire par un manquement ou une indélicatesse ;

— pas de transfuge entre les deux camps en cours d'action. On connaît pourtant le personnage du « mauvais garçon-brave-type » qui se rachète en donnant ses complices ;

— lien de famille fréquent entre les hérauts du bien et du mal : *Rocambole* raconte la lutte de deux frères ; Chéri-Bibi a pour sœur une

---

18. Serial anonyme, antérieur à 1914.
19. Roman de Marcel Allain et Pierre Souvestre.
20. Roman d'Arthur Bernède.
21. Roman de Pierre Decourcelle.
22. L. Valade, *le Petit-fils de Rocambole*, p. 3.
23. G. de Téramond, *la Fiancée de la secte noire*, p. 4.
24. *Nouvelle Mission de Judex*, p. 56.

religieuse, sœur Marie-des-Anges ; Juve et Fantômas se découvrent fils de la même mère (*Fantômas est-il mort ?*), etc.

Le principe du mal, c'est l'argent, « l'idolâtrie du veau d'or » ; *Sa Majesté l'Argent,* titre Xavier de Montépin. Quand on rencontre une bande de misérables assassins, en Allemagne, en 1824, on peut s'attendre à les retrouver *tous* banquiers à Paris vingt ans plus tard (Paul Féval, *le Fils du Diable*). Mais l'argent est moralisé ; il est un *principe* mauvais ; il s'oppose à l'Amour, comme la quantité à la qualité : « Ce n'est pas notre faute si avec l'argent on achète tout, même l'honneur, même l'amour [25] ! »

Le banquier, « marchand d'or », le patron peuvent « acheter avec le travail de l'employé son honneur et sa vie même [26] ».

Le conflit par excellence est dès lors celui de la mésalliance : « ... vous savez trop quel abîme insondable me sépare de vous... vous êtes riche et nous sommes pauvres [27]. »

Cet « abîme insondable », le roman le comblera, soit que « l'énigme de la naissance » rende à la jeune fille la qualité sociale à laquelle elle a « logiquement » droit, soit que l'argent de la Haine se révèle mal acquis, fruit du crime, ou qu'il se trouve balayé par cette intervention d'en haut qu'est le krach financier ! Au dénouement : « l'amour emporte tout [28] ».

Le héros prométhéen, il faut pourtant se l'avouer, ne serait rien sans l'argent dont il dispose. « M. Rodolphe, écrit Karl Marx, pratique une bienfaisance et une prodigalité dans le genre de celle des califes des mille-et-une-nuits. Il lui est impossible de mener cette vie sans épuiser, tel un vampire, son petit coin de terre allemande [29]. » La fortune rapide mais honnête faite en Amérique servira fréquemment (du Boisgobey, *les Mystères du nouveau Paris*, Jules Mary, *Roger-la-Honte...*) Il n'empêche : « Voilà comme sont les moralistes, dit Fourier, il faut être millionnaire pour pouvoir imiter leurs héros [30]. »

* * *

25. Xavier de Montépin, *les Oiseaux de nuit*, I, p. 313.
26. *Lord Lister*, I, p. 13.
27. G. Mahalin, *Mademoiselle Monte-Cristo*, p. 255.
28. Titre d'A. Boissière.
29. *La Sainte Famille.* Cf. *le Capital*, I, p. 138 (Editions sociales) : « Mais l'argent est lui-même marchandise, une chose qui peut tomber sous les mains de qui que ce soit. La puissance sociale devient ainsi puissance privée des particuliers. »
30. Charles Fourier, *cit.* Karl Marx, *loc. cit.* ; autre exemple : « Eh ! Qu'est-ce donc qu'un million, dit Monte-Cristo, en haussant légèrement les épaules... » (Jules Lermina, *le Fils de Monte-Cristo*, p. 397.)

Le motif de la *société secrète* permet à cet égard d'éviter en partie de telles contradictions. Ce thème est le point de convergence d'une série de hantises politico-oniriques propres à l'époque. On sait combien l'idée d'un *Bund* occulte qui « ferait » l'histoire et agirait en sous-main de haut en bas de l'échelle sociale a obsédé Balzac (*les Dix-mille, les Dévorants, les Treize*). On sait aussi le rôle que les sociétés secrètes philanthropiques ont joué dans les émeutes de 1832, dans la révolution de 1848, on connaît les légendes qui couraient sur les carbonari. Le roman populaire semble vouloir opposer aux liens de complicité et de communauté d'intérêt qui rassemblent les gens au pouvoir, une société de l'ombre parfaitement structurée destinée à faire régner la justice contre le désordre organisé et « par tous les moyens ». Tels seront *les Mohicans de Paris* (Dumas et Bocage) ; *les Invisibles de Paris* (G. Aimard et Crisafulli), « conspiration permanente contre l'obscurantisme et l'esclavage appelée à renouveler le monde d'après les principes de la solidarité humaine » ; *les Chevaliers du Clair de Lune* de Ponson du Terrail, qui dit s'inspirer des *Treize*. Ce thème entraîne une série de motifs constants : cérémonie d'initiation, signes de reconnaissance, identité à deviner, traître à démasquer, Sainte-Vehme, etc. Plus banalement, les associations de malfaiteurs foisonnent. Le « Patron-Minette » des *Misérables* manque beaucoup de vraisemblance ; les romanciers populaires sont en général plus convaincants.

À partir de 1900, ces sociétés criminelles abondent dans le roman : « la Main rouge » (G. Lerouge, *le Mystérieux Dr Cornélius*) ; les « Z » (Léon Sazie, *Zigomar*) ; « les Vampires » (Louis Feuillade) ; « l'Iris noir » (Marcel Priollet, *l'Espionne des palaces*) ; « la Secte noire » (G. de Téramond, *la Fiancée de la secte noire*). Les sociétés « philanthropiques » ont cessé par contre d'être un thème romanesque payant, à mesure que le lecteur perçoit sa propre société comme manœuvrée par des forces malignes qu'il se sent de moins en moins capable de contrer.

Roman du héros noir

Progressivement, au cours du XIXe siècle, à mesure que l'idéologie de la réforme sociale perd toute crédibilité, apparaît un type de récit centré sur le « héros noir », hors-la-loi, qui ne songe qu'à anéantir « tout ce qui vit, qui possède ». Chéri-Bibi, Fantômas, Zigomar [31] sont les contemporains de la bande à Bonnot, la violence nihiliste se substitue à la prédication socio-moralisante dans ces *serials* de l'anti-valeur. Nous

---

31. Personnage créé par Léon Sazie, 1911.

étudierons certains aspects de ce renversement au chapitre III de la deuxième partie.

Roman de l'erreur judiciaire

Une variante importante du roman prométhéen nous semble le « roman de l'erreur judiciaire » (Jules Mary, *Roger-la-Honte, le Wagon 303*, etc.), où le personnage principal est la victime, non le justicier. Cette victime tend du reste à se transformer en justicier dans une seconde partie du récit, comme fait Roger-la-Honte. Mais on insiste longuement sur ses souffrances : le roman populaire tient pour le principe, probablement vérifié, que l'innocent a toujours plus de peine à se disculper que le coupable.

Le développement en est topique : un crime commis par le *mauvais* est imputé à un innocent qu'on a des raisons de vouloir charger. Il est condamné. Une nouvelle enquête aboutit au dévoilement progressif des machinations et à la réhabilitation finale.

Dans les premiers romans de Gaboriau (*le Crime d'Orcival*, etc.), le lecteur connaît les résultats souhaitables de l'enquête avant qu'elle ne se déroule. Il suffit que ces éléments soient tus, pour que le roman prométhéen devienne récit du déchiffrement sémiologique.

Le roman policier naît en France par un simple retardement de la *Vorgeschichte*, c'est-à-dire de la séquence narrative présupposée, mais non encore dévoilée au début du récit. Dans la catégorie du « roman de l'erreur judiciaire », entrerait comme variante le « roman du martyre féminin », jeune fille déshonorée, épouse persécutée, mère et martyre...

Structure progressive-régressive

On n'a pas cessé de crier à *l'invraisemblance* des situations, des hasards, des convergences de personnages dans le roman populaire ; mais il faudrait peut-être, avant d'avoir recours à ce critère ambigu, se demander si tous ces hasards proviennent exclusivement d'un goût douteux pour les coups de théâtre et ne révèlent pas une nécessité structurelle de ce genre de roman. Certains romans populaires ne se prolongent que par la répétition de séquences narratives, par contiguïté, ou par analogie. Tout *Fantômas* est la reprise itérative, par parallélisme, antithèses, gradations, des mêmes motifs et d'une situation unique. *Une demoiselle de magasin,* feuilleton en quelques centaines de fascicules des années 1910, raconte les tribulations de la malheureuse Marie-Anne

Verdier poursuivie par la haine du comte Jean de Magnié qui, chaque fois que la jeune fille croit atteindre le bonheur, apparaît et la jette, pour la satisfaction de ses convoitises, dans une nouvelle série d'épreuves encore plus poignantes que les précédentes. Cette structure en « ver solitaire » est évidemment l'aboutissement logique du principe du feuilleton, mais les grands succès du XIXe siècle correspondent à une syntagmatique beaucoup plus complexe.

Ces romans comptent une *Vorgeschichte* — au sens de Tomachevsky — aussi fournie et complexe que la *fable* elle-même. Autrement dit, le héros, au fur et à mesure qu'il avance dans son œuvre de justicier (récit progressif), est amené à reconstituer l'histoire antérieure des autres personnages, histoire dont il ne possède au départ que quelques maillons (récit régressif). De sorte que cette reconstitution de bric et de broc est rigoureusement parallèle au progrès de la fable elle-même, le dénouement correspondant au démasquage du dernier « mauvais ». Le héros prométhéen est donc par nécessité un chercheur d'indices, un *pathfinder*, un Mohican de la grande ville.

Au début du roman, les bons sont dégradés (« mère martyre », « prostituée vertueuse », « forçat innocent ») ; les mauvais étalent au grand jour une façade honnête. Progressivement, on découvrira derrière M. Geldberg, « digne homme ; vrai patriarche », président de « Geldberg, Reinholt & Cie », un assassin et un captateur de testaments (Paul Féval, *le Fils du Diable* [32]). Il appartient alors au héros et à ses *aides* de remonter jusqu'à la « scène primitive », crime enfoui dans le secret des familles ou sous l'hypocrisie sociale, désir d'expiation qui détermine la condition actuelle du personnage. On suivra ainsi à rebrousse-poil les étapes de sa promotion ou de sa déchéance sociale, dénouant éventuellement l'étreinte d'odieux chantages.

Le roman fait payer au mauvais « la rançon du passé ». Aini tous les retours en arrière ne proviennent pas d'un goût baroque de la péripétie à tiroirs : ils correspondent à la logique fondamentale de la combinatoire narrative.

Cette structure narrative, où le justicier est pris au moment où l'impunité semble assurée au mauvais, est déjà fréquente dans le *Novel of Terror and Wonder* des Anglais (cf. Thomas de Quincey, *The Avenger*). Elle est celle des *Mystères de Paris* (Fleur de Marie est la fille de Rodolphe). Elle se retrouve dans *les Mystères du nouveau Paris* de Boisgobey, dans *les Mohicans de Paris* de Dumas... Dans le roman de

---

32. « Sur la place de Paris, Geldberg restait synonyme d'honneur commercial et de loyauté. » *(Le Fils du Diable,* I, p. 282.)

Fortuné du Boisgobey, Marcel revient du Colorado venger ceux qui ont
fait périr de misère son père et récompenser celui qui l'a secouru, mais
il s'agit d'abord de les retrouver et de faire la lumière sur les machinations antérieures. *Le Comte de Monte-Cristo* suit un ordre plus chronologique mais le principe est identique. De même, dans ces romans,
foisonne le motif de la dette « à la vie à la mort », contractée bien
auparavant, et qui lie pour le bien deux personnages appelés à se
retrouver par hasard dans des circonstances critiques. En outre, le narrateur peut laisser ignorer au lecteur une partie du passé de son héros.
Le passé de Rodolphe et de Sarah n'est révélé qu'au deuxième livre,
chapitre 12, des *Mystères de Paris*.

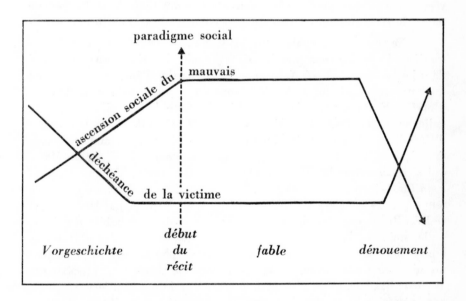

Cet enfouissement temporel du mal est aussi un enfouissement
social ; d'où ces recherches qui amènent le héros à descendre les degrés
de « l'échelle sociale », à s'enfoncer dans les bas-fonds pour saisir le fil
d'Ariane. D'où ces apparitions de gentilshommes dans les « tapis-francs »
de la Cité, lieux où échouent nécessairement ceux que le société engloutit.
Le roman noir devient feuilleton réaliste quand on découvre que la
société moderne produit elle aussi des monstres. L'absence de frontière
entre « classes laborieuses » et « classes dangereuses », l'existence de dessous au théâtre social, d'un monde rampant, d'une « nation souterraine »
(Jules Janin) sont les éléments constitutifs de la représentation que le

roman populaire donne de la société. Aussi les dénouements sont-ils le théâtre de métamorphoses sociales fulgurantes. Le récit progressif-régres-sif rend à la victime sa fortune et son titre, le sort du mauvais est d'être anéanti en un instant : « Ainsi un des plus puissants financiers du jour (...) n'eut pas même une tombe pour recevoir sa dépouille mor-telle. Le scalpel déchira les chairs de celui qui avait sans pitié déchiré les âmes de ses semblables [33]. »

Convergence des personnages

Il nous semble que c'est la logique même de ce récit progressif-régressif d'amener une extrême convergence des liens entre les person-nages, le récit cheminant vers un resserrement de trames dispersées.

« Ne soyez pas surpris... que les trames s'entremêlent, écrit E. Ro-mazière. Rappelez-vous que le crime appelle le crime, que l'hérédité dans les instincts bas crée forcément des dynasties d'âmes perdues. Il est donc naturel que le même lieu devienne un nœud d'intrigues et de com-plots [34]. » E. Romazière plaide fort bien la cause du vraisemblable parti-culier au roman-feuilleton. Ainsi, dans *les Mystères de Paris*, le marquis d'Harville est le parent de Madame Georges, femme du maître d'école dont la complice, la Chouette, a été la tortionnaire de Fleur de Marie qui n'est autre que la fille de Rodolphe de Gérolstein. Madame Georges a un fils, Gérard, qui a habité la fameuse maison de la rue du Temple tenue par les concierges Pipelet, maison dont le principal locataire est ce Bras-Rouge que Rodolphe veut retrouver, maison où habite Rigolette, seule amie de l'infortunée goualeuse, et où la marquise d'Harville, femme malheureuse du meilleur ami de Rodolphe, court à sa perte avec un militaire. Cette maison de la rue du Temple abrite aussi l'herboriste-avorteur Bradamanti et l'honnête ouvrier Morel dont la fille a été violée par le notaire Ferrand qui, comme Bradamanti, a contribué à l'enlève-ment de Fleur de Marie.

Au reste, nous ne trouvons rien d'autre dans *les Misérables*, « ro-man populaire » par excellence, où se rencontrent dans la masure Gorbeau, Jean Valjean, Cosette, Javert, les Thénardier (sous le pseudo-nyme de Fabantou) et Marius Pontmercy, l'amoureux de Cosette, qui est justement à la recherche de ce Thénardier qui sauva prétendument la vie à son père.

---

33. Turpin de Sansay, *les Chiffonniers de Paris*, chap. XX.
34. *On a marché dans le mur*, p. 41.

Dans *le Fils du Diable*, de Féval, tous les anciens serviteurs du château de Bluthaupt se retrouvent, vingt ans après, chiffonniers sur le carreau du Temple !

Le héros de *Mademoiselle Monte-Cristo*, de Georges Mahalin, tombe amoureux de la fille de la femme que son père a assassinée (ce qu'il ignore) ; il est lié à un jeune ouvrier qui a recueilli chez lui la sœur de la fille de la femme que le père du héros — son ami — a donc assassinée ; lequel ouvrier sauve la vie à l'amant de la sœur de celle qu'il a recueillie, c'est-à-dire, si l'on suit bien l'exposé, l'amant de la fille de la femme qui a été assassinée par le père de son ami. Tous ces personnages se côtoient sans connaître leurs liens véritables.

Il est inutile de multiplier les exemples, si l'on voit que cette condensation des figures d'intrigues n'est pas fioritures gratuites, mais la conséquence logique du récit progressif-régressif.

Le hasard joue dès lors un rôle thématique *et* idéologique : à justice immanente, hasards objectifs.

On voit enfin qu'il suffit pour arriver au roman policier classique, que l'accent soit mis sur la recherche rétrospective plutôt que sur l'injustice à châtier.

Dénouements

Le dénouement du roman populaire est nécessairement heureux. *Les Mystères de Paris* font exception, aux yeux du monde ; Fleur de Marie, devenue mère abbesse, meurt saintement. Dans la version cinématographique tirée du roman en 1921, Fleur de Marie ne mourra pas.

Le *happy-end* « guimauvoïde », dit J.-L. Bory, est évidemment un outil de conservatisme social ; encore qu'il faille distinguer entre une fin optimiste en faveur du système social et le *happy-end* en faveur de l'individu privé.

L'épilogue est le lieu de commentaires sentencieux :

Je constate une fois de plus que la justice est encore de ce monde... [35].

La récompense vient tôt ou tard, mais elle vient !... [36].

Les derniers chapitres voient arriver le « triomphe de l'amour » et « l'heure de la justice [37] ». Les bons sont promis au « charme paisible et

---

35. *La Dernière Incarnation de Judex*, p. 96.
36. Michel Morphy, *l'Ange du faubourg*, p. 1605.
37. Chapitre final de Morphy, *op. cit.*, et Téramond, *la Fiancée de la secte noire*.

réconfortant de la famille[38] ». Le roman populaire invente le panoramique : « ... Et doucement, au lointain, signal d'apaisement de bonté et d'espérance, dans un clocher de campagne, l'Angélus se mit à tinter[39]. »

La punition des coupables est systématique et distributive. Elle correspond à un code des délits et des peines parfaitement rigoureux. Il faut que « justice soit faite, tardive mais effroyable[40] ».

Il est impossible de faire tuer le mauvais par le bon (sauf duel avec traîtrise du premier). Il faut donc que, premièrement, il soit tué, par un complice, ou, deuxièmement, détruit par la machination même qu'il a dressée contre le héros. Le supplice est proportionné à l'infamie (brûlé vif, dévoré par des chiens de garde, etc.).

Il peut également mourir de rage ou devenir fou. La folie est plus spécialement la punition des criminels victimes de leurs propres passions (mères coupables, femmes fatales) ; la mort serait un châtiment excessif.

Types et actants

Une analyse actantielle, calquée sur celle de Propp (Morphologie du conte populaire), serait réalisable et se dégagerait de la description que nous venons de proposer : toutefois, les personnages du roman populaire sont avant tout des types, c'est-à-dire des unités fonctionnelles auxquelles est lié indissolublement un système de motifs et d'indices. À la limite, on rencontrerait même des « types » en contradiction avec le rôle fonctionnel qu'ils sont appelés à jouer. Tel serait le détective-privé-ridicule (ex. : Cocantin dans Judex), aide du héros qui, malgré ses gaffes innombrables, se trouve appelé sans cesse à s'occuper d'affaires qui exigeraient la plus grande célérité et efficacité.

À part l'ouvrage déjà ancien de G. Doutrepont[41], on possède peu d'études sur les types populaires de la littérature française. Le roman-feuilleton tend à un maximum de figement et à une grande étroitesse de variantes possibles, analogue en cela à l'art lyrique avec ses Trial, Dugazon, Galli-marié, Père noble, etc.

Au reste, c'est sans vergogne que le roman populaire identifie expressément ses personnages à des types :

Un type de viveur...

Ce type du voyou parisien dans ce qu'il offre de plus abject.

---

38. M. Morphy, le Gosse de Paris, Fayard, p. 447.
39. La Dernière Incarnation de Judex, p. 96.
40. Morphy, l'Ange du faubourg, p. 1597.
41. Les Types populaires de la littérature française, Bruxelles, 1926, 2 vol.

Bouzille avait été le type achevé du vagabond.

Il incarnait le type des vagabonds de la campagne [42].

Nous ne pouvons que passer rapidement en revue les plus significatifs de ces types chargés d'idéologie.

Parmi les *aides* du héros, signalons le bon docteur qui mourra du croup contracté au chevet d'un enfant (sauf exception, il n'y a pas de mauvais médecin) ; le patron philanthrope, préférant curieusement le bien de ses ouvriers à ses intérêts ; le bon riche, aussi célèbre pour « ses fêtes » que pour « sa bienfaisance inépuisable » ; le vieux serviteur fidèle, à l'idiolecte prétendument savoureux, etc.

Parmi les mauvais, le jésuite froid et calculateur est cloué au pilori dès *le Juif errant,* Sue ne faisant que prolonger ici une longue tradition ; le mauvais prêtre, emporté par « ses passions inavouables », a sa place dans les romans de la IIIe République : Michel Morphy et Zévaco étaient des anticléricaux convaincus qui n'ont pas hésité à publier des brochures du genre : *Secrets des confessionnaux.* Il y a certainement plus de mauvais prêtres que d'ecclésiastiques peints favorablement dans le roman populaire. Il n'est pas de banquier qui ne soit une fripouille et beaucoup d'entre eux sont pourvus de noms à consonance sémitique [43]. Les notaires, tous malhonnêtes, sont tous également des vieillards libidineux [44]. La pègre offre un échantillon de types variés. Il serait intéressant de suivre, par exemple, l'évolution du « souteneur » topique jusqu'au XXe siècle [45].

Parmi les victimes, citons le bon ouvrier — celui qui se dévoue et meurt dans les incendies — l'honnête grisette, dont l'épitomé est Jenny l'Ouvrière ; aux derniers degrés de l'échelle industrielle, le chiffonnier et le débardeur ; le forçat libéré à qui la société interdit de se réhabiliter ; la prostituée vertueuse (Fleur de Marie et ses sœurs).

Les enfants ont surtout une fonction attendrissante largement exploitée. D'ordinaire ils vont par deux : le « petit homme » protège sa jeune sœur, et la vérité sort de leur bouche : *la Petite Mionne* (E. Richebourg) ; *les Deux Frangines, les Deux Gosses, Fanfan et Claudinet* (Decourcelle) ; *le Gosse de Paris* (Michel Morphy) ; *les Deux Gamines*

42. Montépin, *les Valets de Cœur* (1853), p. 31 ; *les Enfers de Paris*, p. 236 ; Marcel Allain, *Fantômas. Nouvelles aventures* (1926), p. 51 ; *Ricardo Gomez*, XIII, p. 10.
43. Le baron Moïse Japhet (Magog, *les Briseurs d'amour*) ; M. Félix Meyer-Wolf (*Lord Lister*).
44. Cf. Jacques Ferrand, dans *les Mystères de Paris*.
45. Cf. Mahalin, *Mademoiselle Monte-Cristo*, p. 111 ; comparer à G. de Téramond, *la Cave aux lépreux*, p. 62.

(Feuillade et Cartoux) ; *les Deux Mômes, les Deux Copines* (Marcel Priollet).

Les femmes sont d'éternelles victimes, sans cesse menacées par la « faute », vouées à la médisance et à l'expiation des crimes des autres (*Chaste et flétrie*) ; les mères sont résignées passivement au martyre : *le Supplice d'une mère, Cœur de mère* (J. de Gastyne) ; *Mère et martyre* (d'Aigremont). La jeune fille, pure et légèrement idiote, est l'objet neutre de la lutte entre le Bien et le Mal.

D'autres types anecdotiques étaient appelés à un franc succès : le concierge, le pipelet, puisque le succès d'Eugène Sue a fait de ce patronyme un nom commun.

Les étrangers constituent une catégorie à part, pourvus de caractéristiques d'une étonnante pauvreté : « Il avait ce merveilleux accent, moitié espagnol, moitié anglais, qui atteste l'origine brésilienne [46]. »

Les Anglais de Ponson du Terrail voient leur lexique réduit à un seul mot (?) : « ... Aoh ! fit le cocher à qui s'adressait Rocambole [47]. »

Les Russes apparaissent au second Empire ; on a surtout une cohorte de Polonais martyrs. Les Allemands, ventre énorme, pipe en terre, sont dépourvus de tout tact, discrétion, galanterie ou savoir-vivre. Léon Sazie nous apprend qu'ils mangent les pommes de terre avec la pelure [48] !

Répertoire des situations

Les dimensions de cet exposé ne nous permettent pas de décrire de façon systématique les codes de comportements qui, à travers les situations romanesques du feuilleton, renvoient à toute une idéologie morale et sociale. Le roman populaire est construit sur des séries de « scènes à faire » que le romancier n'a garde d'éluder.

Relevons la tendance très générale à commencer le roman sur une scène d'ensemble (Bal à l'opéra ou beuverie dans un « tapis-franc ») où un certain nombre de protagonistes vont être progressivement identifiés. Le *carnaval* est une institution qui, jusqu'en 1914, déplace encore tout Paris. Les mélanges sociaux qui s'y produisent sont à l'image de ces liens obscurs qui se tissent dans le feuilleton entre toutes les classes de la société. (Cf. le début de Michel Morphy, *l'Ange du faubourg*, ou de G. Aimard, *les Invisibles de Paris*.)

---

46. Cf. notamment *le Crapouillot*, mars-avril 1934. Cette « citation » de *Rocambole*, que l'on rencontre un peu partout, pourrait bien avoir été forgée.
47. *Rocambole*, Paris, Fayard, s. d., VIII, p. 131.
48. *Zigomar au service de l'Allemagne*, p. 9.

D'autres préféreront pasticher l'inévitable description « balzacienne » passe-partout : « Rennes est assurément une des villes les plus majestueuses de la majestueuse Bretagne. Les pas du promeneur,... [49]. »

Nous ne tenterons qu'un regroupement rapide des principaux « topoï » que l'on peut s'attendre à rencontrer.

Une première série, directement liée au récit progressif-régressif, constitue le thème des « mystères de la naissance », « enfant supposé », avec ses développements obligés : pressentiment de la noble origine, noblesse de caractère « naturelle » de l'orphelin, voleuse d'enfants, signe de reconnaissance, complot pour frustrer l'enfant de ses biens, retrouvailles pathétiques. Viendraient ensuite les autres énigmes classiques : secret de famille, cryptogramme, phrase prononcée *in extremis* par l'agonisant, nom qu'on emporte dans la tombe, duel provoqué par un personnage masqué.

La persécution de l'innocence connaît aussi de nombreuses variantes depuis la « pucelle desconseillée » du vieux roman jusqu'à nos jours : fausse accusation, séquestration, séduction de l'honnête jeune fille, dont la vieille mère est malade, par un vieux financier...

La Vengeance et la Récompense constituent évidemment les thèmes essentiels autour desquels tournent des récits tout entiers. On laissera au moins aux coupables la possibilité du rachat ou de l'expiation (la fille de joie devient sœur de charité). Hanté par ses crimes, le mauvais est menacé de folie (« Oh ! va-t-en, spectre épouvantable [50] !... ») Mais le repentir fleurit surtout chez les innocents, complices involontaires, victimes de la fatalité, etc.

On dit que la psychologie du feuilleton est « sommaire », il faut entendre par là qu'elle manque de complexité, non de subtilité, fondée qu'elle est sur les codes rigoureux de l'honneur et du devoir. En fait, rien de plus topique que le « cas de conscience » ; sans cesse le héros se débat dans « d'effroyables dilemmes » ; d'où les « tempêtes sous un crâne », ou mieux, les monologues haletants dont l'incohérence syntaxique trahit les angoisses de l'âme : fréquemment le romancier a été dialoguiste de mélodrame.

Le roman se dirige vers une *acmé* : le « coup de théâtre », avec sa variante spécifique, mode de punition immanente, le « coup de bourse ».

---

49. Decourcelle, *Gigolette*, chap. I.
50. Turpin de Sansay, *les Chiffonniers de Paris*, XX.

Les scènes de reconnaissance sont toujours préparées par le héros avec un art consommé de l'effet, provoquant ainsi de graves commotions nerveuses chez les gens âgés ou éprouvés par de récents événements :

> Mademoiselle, je suis le notaire de Monsieur. J'ai l'honneur de vous dire que vous n'êtes pas la fille de l'abominable créature qui vous a persécutée. On vous a volée en bas âge à votre père pour recueillir une succession de trois cents mille francs qui vous revient. Et il ajouta : « Voici votre père ! » La jeune fille s'évanouit doucement et se laissa glisser à terre [51].

Évoluant dans cette atmosphère de *Schiksaltragödie*, les personnages réagissent de façon frénétique, « dévorés par une épouvante inexprimable », « la terreur portée à son comble », ils « portent leurs mains à leurs tempes, agités d'un rire dément ».

Le contraire du « coup de théâtre » pourrait être appelé trémolo narratif, c'est le point d'orgue qui suspend l'écoulement temporel sur une scène d'apothéose :

> Et dans le salon plein d'ombres menaçantes où la frêle lueur de la bougie posée sur la cheminée mettait à peine une vacillante tache de clarté, désespérés et ravis, tremblants et grisés, enlacés, unis par l'invincible amour, les deux jeunes gens échangèrent leur premier baiser d'amants [52].

Figures de narration

Nous appellerons ici la narration, ce que d'autres ont pu nommer le « point de vue », c'est-à-dire la manière dont la *fable*, conçue comme un enchaînement abstrait de motifs, est racontée.

Rappelons tout d'abord que le roman populaire est soumis à la contrainte « externe » du découpage feuilletonesque avec sa « suite au prochain numéro », et qu'il a dû tirer le meilleur parti de ces interruptions arbitraires : « C'est surtout dans la coupe môsieur, que le vrai feuilletoniste se retrouve. Il faut que chaque numéro tombe bien (...) Vous parliez d'art tout à l'heure : l'art, le voilà [53]. »

La technique du feuilleton renforce la tendance du roman de consommation à offrir un profil en lignes brisées, scènes représentant chacune *un* épisode logique de l'action, d'une part, et coups de théâtre, d'autre part. On connaît la classification des points de vue narratifs en

---

51. Michel Morphy, *la Bambine*, p. 276.
52. H.G. Magog, *les Briseurs d'amour*, p. 10.
53. L. Reybaud, *Jérôme Paturot à la recherche d'une position sociale*, Paris, 1842, p. 150.

trois grandes catégories : vision par derrière (le narrateur en sait plus que les personnages pris un à un), vision avec (il en sait autant que l'un des personnages), vision en dehors (il n'a pas accès à la conscience de ses personnages). Le roman populaire a essentiellement recours à la vision « par derrière » mais ce n'est pas tout à fait la technique du romancier « Dieu le Père », propre à Balzac ou à Flaubert.

Le narrateur balzacien fait preuve d'une omniscience neutre, s'introduit à son gré dans la conscience de chacun des personnages, émet des aphorismes à portée universelle qu'il intercale au fil du récit. Le narrateur du roman populaire est infiniment plus présent, il rappelle sans cesse que l'histoire est racontée par quelqu'un, qu'elle ne sort pas d'une bouche d'ombre anonyme :

> L'Immeuble dont nous venons de tracer un rapide croquis... [54].

> Deux mots en passant, s'il-vous-plaît, sur l'interlocuteur de Philippe de Gessy et sur M. de Gessy lui-même [55].

Plus encore, la convention narrative sur laquelle est fondé le roman populaire au XIXe siècle est celle d'un narrateur-Asmodée, qui prend le lecteur par la main, passe à travers les portes, lui ouvre les alcôves, invisible à côté des personnages. Cette convention, à vrai dire un peu « grosse », dont est issue la narration « Dieu le Père », est cultivée avec constance par un Montépin, un Ponson du Terrail :

> Nous prions nos lecteurs de vouloir bien nous accompagner dans la rue du Rocher, cette voie montueuse et tortueuse... Faisons donc retentir le marteau pesant...
> Poussons la porte...
> Franchissons le seuil...
> Engageons-nous, non sans répugnance, dans une allée...
> Passons en toute hâte...
> Gravissons cette échelle... [56].

Pendant tout ce *travelling* descriptif aucun personnage n'est présent, sinon le narrateur et son lecteur happés par le monde romanesque.

On verra ainsi, par fiction, le narrateur

— s'effacer devant celui qui lit : « ... la salle où nous avons introduit le lecteur... » ;

— refermer la porte au nez des personnages du roman : « Nous les précéderons pour pénétrer chez... » ;

---

54. Montépin, *les Enfers de Paris*, p. 1.
55. Montépin, *les Valets de Cœur*, I, p. 27.
56. Montépin, *les Enfers de Paris* (1868), p. 1.

— franchir les airs : « Maintenant transportons-nous à Villeneuve Saint-Georges et faisons connaissance avec les hôtes mystérieux de la maison isolée [57]. »

Cette fiction accompagnatrice explicite, moins attestée chez Sue, chez Dumas, systématique chez Xavier de Montépin, est présente chez Decourcelle, Richebourg, Jules Mary. Elle oblige en fait, si l'on veut se montrer rigoureux, à une narration « en dehors », la conscience du personnage restant inviolée. Montépin, s'il prétend nous révéler les états d'âme de ses héros, aura recours à la convention du monologue. En pratique, un compromis s'établit entre la narration ubiquiste et la narration-Asmodée.

En tout état de cause, les interventions flagrantes de la part de l'auteur sont fréquentes. Rappelons les types d'aparté relevés par J.-L. Bory [58] : *rappels* (« on se souviendra que... ») ; *coïncidence soulignée* ; *éclaircissement différé* (« nous dirons pourquoi... ») ; *annonce* (« nous raconterons plus tard... »). On pourrait y rajouter *l'excuse*, passablement hypocrite, en cas d'anacoluthe structurale : « Le lecteur nous excusera d'abandonner une de nos héroïnes dans une situation si critique, situation dont nous dirons plus tard le dénouement [59]. »

Il appartient également au narrateur — et c'est une fonction mal étudiée même chez les « grands » romanciers — de jeter des épiphonèmes sentencieux : « Rien n'est plus beau, par une claire nuit d'été qu'une forêt endormie [60]. »

Il lui arrivera même de prendre la parole en tant que « producteur » responsable de l'œuvre : « Nous demandons pardon aux lecteurs des *Oiseaux de nuit* de la trivialité de certaines scènes [61]. »

Il usera également d'un métalangage visant à authentifier le récit, vieille ficelle romanesque : « basé sur des documents irréfutables », « scènes touchantes de la vie réelle ». Si le vrai peut se reconnaître au fait que, quelquefois, il n'est pas vraisemblable, il suffit au romancier de souligner l'invraisemblance pour faire croire au réalisme :

À l'époque où se passent les faits dont nous sommes l'historien...

Arrivés à cet endroit de notre récit nous éprouvons le besoin de nous justifier du reproche d'invraisemblance.

---

57. Ponson du Terrail, *Rocambole*, Paris, Fayard, s. d., VIII, p. 29. Cf : « En entrant avec Philippe dans la chambre que l'hospitalité du docteur lui avait assignée, nous jetterons un regard autour de nous. » (Feuillade, *Vampires*, p. 30).
58. J.-L. Bory, *Tout feu, tout flamme*, Paris, Julliard, 1966.
59. *Mystères de Paris*, III, chap. 15.
60. Feuillade, *Nouvelle Mission de Judex*, chap. XIX.
61. Montépin, *les Oiseaux de nuit*, I, p. 22.

Quel est ce roman ?

— Ce n'est pas un roman, c'est la réalité [62].

Le procédé le plus constant, sur lequel il n'est guère besoin d'insister, est celui de l'interrogation pathétique (« Qu'allait-il se passer... ? ») Le narrateur se réserve le droit, enfin, de renoncer à pénétrer le discours intérieur des personnages, s'il lui paraît à propos :

> Le jeune homme blond s'absorbait dans une méditation profonde, qui ne devait point être d'une nature bien réjouissante, à en juger du moins par la contraction des sourcils et par la sombre fixité du regard.

> On eut été surpris, effrayé peut-être en lisant, si la chose eut été possible, les pensées qui se débattaient en lui [63].

Frénésie sémiologique

Le narrateur peut se passer d'autant plus aisément d'avoir recours à ses pouvoirs télépathiques que le roman populaire est le lieu d'une frénésie sémiologique sans retenue. Les personnages du roman, cousins des comédiens du mélodrame, sont affligés de rictus, sueurs, tremblements convulsifs qui révèlent fort bien leurs états d'âmes. « Tout corps est une citation », écrit Roland Barthes [64]. « Tout parle ou se parle, s'écrit ou se lit » (Kempf, *Sur le corps romanesque*).

Le regard, « fenêtre de l'âme », trahit tous les sentiments, même les plus composés :

> Elle le regarda avec une nuance de respect et d'indifférence à la fois.

> Ses yeux bleus avaient un regard franc et hardi, brillant et vif.

> Une lueur étrange passa dans les yeux de Cartigny.

> Son regard de lumineuse intelligence et de loyale franchise.

> Ses yeux reflètent une expression d'exquise bonté [65].

Oui, tout se lit. La moustache effilée dénonce le viveur ; la moustache tombante est l'attribut de l'homme débonnaire ; les Anglais

---

62. Montépin, *les Oiseaux de nuit*, I, p. 27 ; Morphy, *le Vampire*, p. 18 ; Feuillade, *Nouvelle Mission de Judex*, p. 112 ; *Judex*, p. 65.
63. Montépin, *les Enfers de Paris*, p. 3 ; *le Policier Fantômas*, p. 17.
64. Barthes, *S/Z*, p. 40.
65. Ponson du Terrail, *Rocambole*, cité par le *Crapouillot*, mars-avril 1934 ; X. de Montépin, *les Valets de Cœur*, I, p. 9 ; P. Decourcelle, *les Deux Frangines*, chap. I ; L. Feuillade et A. Bernède, *Judex*, p. 27 ; *Ibid.*, p. 26.

romanesques sont contraints, pour donner le change, de cacher leurs *cheveux roux* sous une ample perruque [66] !

Des paradigmes se constituent : mains blanches contre mains calleuses (le « mauvais ouvrier » a les mains blanches). Les visages des méchants étalent indécemment « tous les stigmates du vice ».

Les souteneurs portent « une casquette de drap gris abaissée sur le devant, haut relevée à l'arrière » ; dans *Fantômas* (1911) encore, les notaires arborent « des favoris épais et courts [67] » : rien n'est plus révélateur que cet anachronisme nostalgique de Marcel Allain. Par une aberration touchante, le larbin du « mauvais » portera une « livrée douteuse ». Encore un signe !

L'identification différée

Le procédé narratif le plus constant du roman populaire, le seul dont on ne trouverait guère d'exemple dans le roman « de haute culture », est celui de l'identification différée, par lequel le narrateur au début d'un chapitre, circonscrit dans le champ de son regard un personnage qu'au premier abord il semble ne pas reconnaître :

> Cependant, un individu aux allures louches et gluantes, enveloppé dans une longue redingote graisseuse marchait tranquillement vers une ruelle sombre d'où partait la musique rauque et forcenée d'une guinguette de bas étage...

> Celui qui venait de décréter avec tant de cynique désinvolture la conquête ou plutôt le déshonneur de Jacqueline, n'était autre que le jeune marquis César de Birarques...

> Sur les berges de la Seine, entre le pont de la Concorde et le pont de l'Alma, un homme descendait à vive allure suivant le cours du fleuve...

> Cet homme n'était autre que le chemineau Bouzille [68].

Une sorte de « mise au point » semble devoir s'opérer, manière de rajouter du suspense dès le début d'un chapitre.

Conclusion

Tels sont, à notre avis, les traits les plus constants du roman populaire. À partir de la description d'ensemble et des hypothèses que nous

---

66. Turpin de Sansay, *les Echafauds de Paris,* chap. III.
67. *Le Policier Fantômas,* p. 6.
68. Michel Morphy, *le Vampire,* p. 57 ; Feuillade, *Judex ;* Allain et Souvestre, *Fantômas est-il mort ?,* p. 149.

avons présentées, il faudrait entreprendre une étude diachronique et sociologique des genres et des thèmes dominants.

Outre l'intérêt que présente cette immense production pour l'histoire des mentalités, l'analyse des modes d'expression paralittéraires peut sans doute aider à comprendre de nombreux aspects des écrits du « circuit lettré ».

L'ignorance où l'on se trouve, même vis-à-vis des formes contemporaines de la paralittérature, est une manière d'obscurantisme, reproche à partager entre l'élitisme des critiques et le positivisme des sociologues.

DEUXIÈME PARTIE : TROIS ÉTUDES

CHAPITRE PREMIER

ROMAN ET IDÉOLOGIE : *LES MYSTÈRES DE PARIS*

Le roman d'Eugène Sue, *les Mystères de Paris* (1843), est le seul roman français que Karl Marx ait longuement commenté et critiqué (dans *la Sainte Famille*, aux chapitres V et VIII).

Certains regrettent que les nécessités de sa polémique contre Bruno Bauer et consorts n'aient permis à Marx d'analyser, dans toute la littérature française, qu'un roman considéré aujourd'hui comme médiocre et marginal. En dépit des critiques fondées de Karl Marx, nous pensons que l'interminable feuilleton de celui qui fut considéré comme le premier écrivain « socialiste » mérite mieux que l'indifférence. Le succès européen, sinon mondial, des *Mystères de Paris* constitue une première justification à cet intérêt. Ce roman est si profondément lié à « l'idéologie de 1848 » avec ses utopies et ses contradictions, son influence a été si durable dans le monde ouvrier français, qu'il convient sans doute de l'étudier à nouveau.

Cette étude devrait nous permettre, chemin faisant, de soulever quelques problèmes méthodologiques touchant les rapports entre *l'idéologie* et la fiction romanesque au XIXᵉ siècle.

Du roman noir au romantisme social

Eugène Sue est né en 1804 dans une célèbre famille de chirurgiens. Ayant clairement fait connaître sa décision de ne pas succéder à son père, l'éminent Jean-Joseph Sue, dans cette dynastie chirurgicale, il mena une vie de jeune dandy, partageant son temps entre des voyages, des liaisons tapageuses et des succès littéraires dans le roman d'aventure maritime (*Kernok le Pirate*, 1830 ; *Plik et Plok*, 1831 ; *Atar-Gull,*

1831 ; *la Vigie de Koat-Ven*, 1833). Cette vie de mondanités et de dé-
penses excentriques devait le conduire à la ruine, vers 1837. Mais dans
le même temps sa réputation de romancier cynique, fantastique et frénétique s'établit. Il toucha, bien avant Dumas, au roman historique
(*Latréaumont*, 1837), au roman noir « social » à la manière de Frédéric
Soulié (*Arthur*, 1838 ; *Mathilde*, 1840). On a voulu faire d'un certain
dîner, au cours duquel Sue avait rencontré un ouvrier fouriériste, l'équi-
valent d'une « Nuit de Pascal » d'où Sue serait sorti transfiguré, « con-
verti » au socialisme par l'éloquence entraînante de cet homme (26 mai
1841). Il est probable que l'anecdote a été montée en épingle après le
succès des *Mystères*. Seule une conversion subite pouvait expliquer au
public bourgeois que le mirliflor de 1830 devînt le « philanthrope » de
1845.

En réalité, il publia encore après divers petits romans noirs, *le
Morne-au-Diable, Paula Monti, Thérèse Dunoyer*, apogée du genre
gothico-frénétique. En 1842, il se lança, sans la moindre idée d'ensemble,
dans les premiers chapitres des *Mystères de Paris*. Titre significatif, puisqu'il est calqué sur celui du plus célèbre roman noir, *The Mysteries of
Udolpho*, d'Ann Radcliffe.

Le directeur du *Journal des Débats* accepta ce feuilleton avec
enthousiasme et Sue allait tenir la France en haleine pendant un an
et demi (1842-1843). Les moralistes de profession s'étonnèrent à bon
droit de voir publier cet écrit « socialiste » dans un journal légitimiste et
conservateur, mais les difficultés financières du journal ont de tout temps
fait la loi. Les petites revues socialisantes, comme *la Phalange* de Désiré
Laverdant, proclamèrent Eugène Sue « romancier prolétarien », pour
avoir su retracer « d'un si chaleureux pinceau » les effroyables misères
du peuple [1]. En lisant *les Mystères*, Victor Hugo, déjà, songeait à écrire
les Misérables. Et Eugène Sue, qui travaillait au jour le jour, sans plan,
croyant au départ transposer Fenimore Cooper ou Walter Scott dans
le décor de la grande ville moderne, se laissa convaincre qu'il avait une
« mission humanitaire » à remplir.

Le prodigieux succès des *Mystères* allait lui permettre d'imposer ses
conditions aux journaux. *Le Constitutionnel* lui paierait cent mille francs
pour son *Juif errant* (1844-1845), œuvre confuse et mal construite vouée
à la dénonciation du rôle joué par les Jésuites en France. Le *Constitutionnel* retrouva ses abonnés et s'attacha Sue pour quinze ans par un contrat
d'exclusivité. Pendant tout le XIXe siècle, *les Mystères* et *le Juif errant*

---

1. Numéro du 6 juin 1842.

allaient constituer pour les romanciers populaires un modèle à imiter,
à piller, à abâtardir. D'autres romans allaient suivre où la thèse sociale
prendrait de plus en plus de place : *Martin l'enfant trouvé* (1846) de
ton saint-simonien ; *les Sept Péchés capitaux* (1847), illustrant la
théorie passionnelle de Charles Fourier. Mais, peu à peu, Honoré de
Balzac, George Sand, Alexandre Dumas éclipsèrent Eugène Sue. Député
« rouge » en 1849, Sue s'attela aux *Mystères du peuple*, lourde chronique romancée de l'histoire du prolétariat à travers les âges. Il fut
attaqué de toutes parts. On lui reprocha les événements de 1848 comme
un crime personnel. Les ouvriers de juin 1848 furent présentés comme
les lecteurs exclusifs d'Eugène Sue. Ils avaient trouvé chez lui une image
« calomnieuse » de la société qui était, disait-on, la cause de leur
révolte. *Les Mystères de Paris* apparaissaient à Menche de Loisne
comme « une compilation indigeste de folies et de crimes, de lubricité,
d'immoralité ». De quel droit, demandait-il, vient-on « devant le peuple
traîner aux gémonies les classe riches et éclairées [2] » ? Le pouvoir spiri-
tuel et le pouvoir séculier s'unirent pour anéantir son influence. Rome
inscrivit l'œuvre entière à *l'Index librorum prohibitorum* (1852) et le
Parlement de 1850 vota, on l'a vu, la loi Riancey qui frappait d'un droit
de timbre tout journal qui publierait des feuilletons. Le coup d'État
du 2 décembre fit d'Eugène Sue un exilé. Il termina sa vie en Savoie,
et mourut à Annecy, en 1857, sans avoir revu la France.

« Les Mystères de Paris »

Ce sont *les Mystères de Paris* qui ont créé leur auteur, écrit Jean-
Louis Bory. C'est peut-être surtout la manière dont ce livre a été lu.
Tous les contemporains insistent sur cette lecture qui va de l'aristocratie
aux classes « les moins éclairées », qui semble saisir le lecteur en dehors
de ses complicités ou limites culturelles. Les ouvriers s'accordent à
« bénir » le nom d'Eugène Sue et ne trouvent pas un mot à retrancher
à ce qu'il écrit ou plutôt ils lui suggèrent des idées, lui font part de
leurs souhaits. D'où l'immense correspondance conservée à la Bibliothèque municipale de Paris. Les journaux satiriques auront beau ironiser
sur la popularité du *Journal des Débats* parmi les filles perdues de Saint-
Lazare, rien ne peut dissimuler qu'un livre pour la première fois a brisé
la clôture du circuit lettré. De nombreux mélodrames vont encore am-
plifier le succès des *Mystères*.

---

2. Menche de Loisne, *Influence de la littérature française de 1830 à 1850 sur l'esprit
public et les mœurs*, Paris, Garnier, 1852.

Quelles que soient les réserves que l'analyse idéologique du roman va nous inspirer, il faudra nous souvenir de cette admiration exaltée que l'ouvrier *politisé* va désormais vouer à ce premier écrivain « engagé » dans les luttes sociales. Les critiques citées plus haut, comme les éloges des socialistes français, ne prouvent que les illusions que l'on se fait, de part et d'autre, sur le pouvoir historique d'un roman. Le fait qu'Eugène Sue ait payé de son confort l'engagement politique ambigu qui était le sien ne devrait pas nous conduire à plus d'indulgence pour son confusionnisme idéologique. Mais, d'autre part, il importe de ne pas sous-estimer un homme qui a réellement marqué les combats de son temps et qui, après tout, est le *premier* écrivain français à avoir expressément choisi de lier son œuvre à la lutte sociale. Il faudra regarder de près en quoi consiste son « moralisme idéaliste », son « paternalisme » et son « réformisme utopique » dans la mesure où ses contradictions sont plus celles d'une époque que celles d'un homme.

G. Duveau atteste que Sue conserve une vogue ouvrière sous le second Empire [3]. Antonio Gramsci décrit l'expansion de l'œuvre d'Eugène Sue en Italie, faute d'une littérature populaire autochtone [4]. On sait, pour avoir lu Marx, comment *les Mystères* avaient tourné la tête des « critiques » hégéliens. *Le Comte de Monte-Cristo*, de Dumas (1844), *Où mènent les mauvais chemins* (1846) de Balzac s'inspirent à l'évidence de thèmes et de situations empruntés à Sue. Les analogies entre *les Mystères* et *les Misérables* de Victor Hugo sont extrêmement nombreuses et ont été étudiées à plusieurs reprises [5]. L'influence de Sue sur Dostoïevski mériterait, elle aussi, une analyse approfondie.

En 1922, un producteur de cinéma, faisait des *Mystères de Paris* un *serial* muet à succès (studio Phocéa) : Fleur de Marie, dans cette version ne meurt pas. Mais l'illustre Béranger, en promettant à Sue une postérité qu'il refusait à Alexandre Dumas, se trompait en partie ; aujourd'hui, on semble d'accord pour considérer *les Mystères* comme un écrit assez marginal : abus de romanesque, idéologie dépassée, valeur documentaire nulle. Il est bon que M. Chevalier, dans son remarquable essai sur les *Classes laborieuses et classes dangereuses à Paris*, aille à l'encontre de cette opinion en affirmant la valeur irremplaçable de ce récit comme témoignage sociologique. Mais il est temps maintenant d'en proposer un bref résumé [6].

---

3. Georges Duveau, *la Vie ouvrière sous le second Empire*, Paris, Gallimard, 1946, p. 474.
4. Antonio Gramsci, *Œuvres choisies*, Paris, Editions sociales, 1959, p. 476.
5. Georges Jarbinet, *les Mystères de Paris d'Eugène Sue*, Paris, S. F. E. L. T., s.d.
6. L. Chevalier, « la Littérature irremplaçable », *Classes laborieuses et classes dangereuses à Paris pendant la première moitié du XIXe siècle*, Paris, Plon, 1958.

Le 15 décembre 1838, Rodolphe, prince souverain de Gérolstein, en séjour incognito à Paris, s'aventure dans les tavernes les plus crapuleuses de la Cité, accompagné par son fidèle Murph. Mû par un esprit d'expiation, il cherche l'occasion de faire du bien à ceux qui en sont dignes et de punir les méchants. En outre, il est à la recherche de renseignements sur l'enfant naturel qu'il a eu seize ans auparavant, de la comtesse Sarah McGregor, enfant qui est morte, dit-on. La comtesse Sarah est une créature indigne, égoïste et ambitieuse, qui n'a pas tout à fait renoncé à se faire épouser du prince.

Il sauve ce soir-là une jeune prostituée, Fleur de Marie, des mains d'un ancien forçat, le Chourineur. La force physique de Rodolphe en impose au Chourineur. Attablés dans un « tapis-franc », le Chourineur et Fleur de Marie racontent chacun à Rodolphe (qui s'est présenté comme un ouvrier) leur vie misérable. Rodolphe conduit Fleur de Marie dans une ferme à la campagne et la libère du milieu de la prostitution. Il s'attache le Chourineur et décide de faire justice contre le Maître d'École et la Chouette, bandits qui ont « élevé » Fleur de Marie et l'ont maintenue par la terreur dans cet esclavage dégradant. On attire le Maître d'École dans un guet-apens et Rodolphe le condamne à avoir les yeux crevés : devenu incapable d'abuser de sa force physique, le Maître d'École retrouvera « la voie de la vérité morale ». Le Chourineur se voit offrir par Rodolphe une ferme en Algérie ; il y part, plein de reconnaissance.

La marquise d'Harville, femme du seul ami intime de Rodolphe, s'est peu à peu éloignée de son mari, dont les crises d'épilepsie l'épouvantent. Elle s'est lancée dans des aventures dangereuses. Entre-temps, Rodolphe, à la recherche du fils du Maître d'École, fréquente incognito une maison dans le quartier populaire du Temple. Monsieur et Madame Pipelet en sont les concierges. Une jeune grisette, Rigolette, est la voisine de palier de Rodolphe. L'abominable Bradamanti, charlatan et avorteur, y habite, ainsi qu'une honnête famille ouvrière, les Morel, qui malgré un travail acharné ne parviennent pas à sortir de la misère.

Rodolphe a le bonheur de sauver de la prison pour dettes l'honnête Morel et de préserver la marquise d'Harville du déshonneur, en empêchant son mari d'avoir la preuve de la liaison de cette dame avec un officier. Il ne peut empêcher toutefois que Louise Morel ne soit arrêtée pour infanticide (elle a été violée par le notaire Jacques Ferrand chez qui elle travaillait). Morel ne peut résister à ce choc ultime : il devient fou.

Entre-temps, Fleur de Marie, qui vivait heureuse à la ferme de Bouqueval est enlevée par le Maître d'École et la Chouette. Sarah McGregor, qui prend la jeune prostituée pour une rivale, a trempé dans cette affaire. (Le lecteur a deviné que Marie est la fille de Rodolphe et de Sarah.) Le marquis d'Harville plein de remords pour le martyre qu'il fait subir à sa femme du fait de sa maladie, se suicide en faisant croire à un accident.

Tandis que Fleur de Marie se retrouve en butte aux persécutions de la Chouette et de ses complices, Rodolphe s'attaque au notaire Ferrand, homme estimé de tous, mais qui a séduit la malheureuse Louise Morel et qui a injustement accusé de vol son jeune clerc, Germain, fiancé de Rigolette. La mulâtresse Cécily, dont la beauté captivante agit sur ce vieillard libidineux, sera l'instrument de la vengeance de Rodolphe. Cécily extorque au notaire un écrit portant l'aveu de ses crimes. Rodolphe le force à constituer, avec sa fortune mal acquise, une « Banque des Travailleurs sans ouvrage ». Sarah McGregor a appris de la Chouette, sa complice, qui a voulu l'assassiner, que Fleur de Marie était sa fille. Le notaire Ferrand et Bradamanti ont trempé dans cette supposition d'enfants. Rodolphe, mis au courant, accable Sarah : « Mourez donc maudite ! »

Ferrand, devenu fou depuis qu'il a perdu sa fortune, tue Bradamanti, son ancien complice. Le Maître d'École, fou lui aussi, tue la Chouette. Rodolphe retrouve sa fille et propose le mariage à Madame d'Harville qu'il a toujours aimée. Fleur de Marie, devenue la princesse Amélie de Gérolstein, ne peut s'adapter au monde, se fait religieuse, et meurt saintement.

Ce résumé, si complexe qu'il paraisse, néglige un grand nombre de développements accessoires.

Structures narratives

Roman prométhéen

Par un renversement apparemment radical de la définition que G. Lukàcs propose du roman classique, le roman de Sue est le premier récit réaliste d'une *quête prométhéenne* de valeurs *authentiques* menée par un héros *positif* dans une société finalement *régénérée* (cf. chapitre précédent). La romancier de la quête démoniaque, par ce que Lukàcs nomme son *ironie*, prend ses distances vis-à-vis des valeurs poursuivies par son héros et vis-à-vis de la société où il l'a placé. Il dépasse, abstraitement, par cette distanciation même, les limites de sa propre conscience possible, comme cela est très évident chez Balzac ou Flaubert. Dans le roman prométhéen, le narrateur, qui s'identifie nécessairement à l'idéologie immanente de son héros, limite la portée de son œuvre à son propre horizon idéologique. S'il n'y avait pas contradiction dans les termes, on dirait que ce roman qui est le récit d'une désaliénation, comporte une *forme* révolutionnaire, mais que le niveau où cette libération est située et les conditions de sa réalisation, en sont nécessairement ambigus. Autrement dit, en marge des socialismes utopiques, apparaît une forme narrative très différente du roman « classique », où la fonction critique du roman est remplacée par une thématique explicite de la libération immanente. Rendu possible par le mouvement social historique, ce roman prométhéen ne se situe pas moins à un niveau de fausse conscience et de fausse totalisation.

En tout cas, c'est à travers cette forme nouvelle que se marque le choix d'Eugène Sue ; *Arthur* le dernier roman avant la période « socialiste » correspond, lui, parfaitement, au modèle lukacsien classique.

Le héros justicier

Le roman prométhéen est axé sur un héros de type particulier, médiateur du bien et de la justice, Rodolphe de Gérolstein dans le présent roman.

Le roman gothique offrait la figure prométhéenne du chevalier errant, voué à la protection de la veuve et de l'orphelin, paladin des justes causes. Elle se retrouve, on l'a vu, dans tous les romans populaires, Monte-Cristo, chez Dumas, le marquis de Rio-Santo, chez Paul Féval, Salvator, dans *les Mohicans de Paris*, Mathias Sandorf, dans le roman du même nom, de Jules Verne.

Antonio Gramsci indique fort bien les sources de ce type dans l'onirisme collectif : « On peut dire, écrit-il, que dans le peuple la rêverie dépend du complexe d'infériorité (sociale) qui détermine de longs phantasmes sur l'idée de vengeance, de punition des coupables pour les maux qu'on supporte, etc. [7]. »

Cette « œuvre de justice et de rédemption » constitue à la fois pour un esprit réactionnaire « une glorification indue de la puissance individuelle de l'homme [8] », mais elle est aussi l'image magnifiée du paternalisme bourgeois. Les préoccupations morales parviennent à dissimuler l'évidence de l'exploitation et de l'inégalité sociales.

---

7. Gramsci, *op. cit.*, p. 475.
8. Alfred Nettement, *le Feuilleton-roman*, Paris, Perrodil, 1844, II, p. 377.

Structure progressive-régressive

Le héros du roman populaire est toujours un déchiffreur ; une de ses tâches consistera nécessairement à reconstituer un passé mystérieux au bout duquel la conformité entre l'apparence sociale et la qualité morale est anéantie : la fortune du riche s'est édifiée sur un crime impuni, la jeune fille orpheline retrouve son nom et ses titres, le bagnard est innocenté. Ce renversement des signes, cette reconstitution de la « scène primitive » correspond également au dénouement de l'action actuelle. C'est pourquoi nous parlons d'une structure progressive-régressive fondée sur un dualisme entre l'apparence (sociale) et la vérité (morale). À la fin du récit, statut moral et statut social coïncident. Le héros a pu reconstituer fragment par fragment des événements passés qui rapprochent finalement des personnages qu'au départ tout séparait. L'honorable notaire Jacques Ferrand et l'ignoble Maître d'École sont d'anciens complices. La jeune prostituée que Rodolphe a prise sous sa protection est sa fille qu'il croyait morte. La convergence extrême des liens entre les personnages est donc une nécessité structurale et thématique plus que la preuve d'une faiblesse de conception artistique. Dès le début des *Mystères,* le lecteur est en mesure de soupçonner que les trames éparses vont être rapprochées : « Le Maître d'École a vu au pré [au bagne] l'homme qui t'avait donné à moi quand tu étais toute petite. » (I, chap. 5.)

Le passé tout entier de Rodolphe et de Sarah McGregor ne nous est cependant révélé qu'au XIIe chapitre de la deuxième partie.

Il serait en tout cas injuste de discuter des innombrables rencontres, hasards, convergences qu'offre ce genre de récit en dehors de cette totalité structurale tendue vers le déchiffrement du statut moral authentique de chaque personnage.

Le narrateur complique cette structure progressive-régressive par la liberté qu'il se donne de placer aux moments cruciaux, des digressions, rappels, retours en arrière, évocations d'événements parallèles ou concomitants.

Types et personnages

Les différents personnages ne sont pas chargés d'incarner une catégorie sociale avec ses traits distinctifs, mais de poser un *problème critique* quant à l'organisation de la société. Ils sont définis tout entiers par une situation conflictuelle qui souvent peut se ramener à une contradiction entre nature (individuelle) et destinée sociale.

Le *forçat libéré*, dont le Chourineur est un des premiers exemples, est un stéréotype chargé de dénoncer les torts d'une justice de classe incapable de distinguer entre un naturel honnête et une situation misérable qui n'a pu que le pousser au crime. Galérien repentant, le Chourineur est d'autant plus rassurant pour les privilèges bourgeois qu'il se condamne lui-même, mais est libéré de la honte par les paroles protectrices de Rodolphe : « Tu as du cœur et de l'honneur. »

La *prostituée vertueuse* manifeste la même intolérable contradiction entre une nature chaste et tendre et l'infamie d'une condition dont elle ne peut s'affranchir. Elle aussi, cependant, intériorise la condamnation hypocrite que la société fait peser sur elle. Victime, mais non révoltée, sa naissance noble fétichise dans l'ordre social la noblesse *naturelle* dont elle est pourvue. Ce type romanesque a eu un succès extraordinaire, de Schiller (*Kabbale und Liebe*), à George Sand, Alfred de Musset, S. H. Berthoud (*Courtisane et sainte*, 1842), Flora Tristan, Honoré de Balzac (*Esther Gobseck*), Victor Hugo (Marion de Lorme, Fantine). Il incarne un « impensable » moral, puisqu'on ne peut ni condamner ni affranchir réellement l'héroïne de sa dégradation et qu'elle en vient à vouloir « expier à force d'humiliation et de repentir » un passé qu'elle n'a cessé de détester.

Ce type est donc le signe d'une limite indépassable de la spéculation idéologique de ce temps.

L'ouvrier noble et généreux toujours peint sous des dehors favorables de 1830 à 1848 est le lieu d'une autre contradiction : la noblesse du travail comme *entité morale*, et son ignominie intrinsèque comme réalité pratique. À aucun niveau, ce dualisme moralisant ne peut se dépasser. Le bon ouvrier est de ceux que « le travail n'effraye pas », mais il est aussi « courageusement résigné ». Ici également, Sue a des modèles dans le romantisme social : George Sand, Touchard-Lafosse, Clémence Robert. Une variante du type sera l'honnête grisette, Jenny l'Ouvrière, héroïne d'une romance sentimentale à succès, Mimi Pinson ou Rigolette, dans *les Mystères*. À l'inverse, images de l'hypocrisie sociale, se présentent le mauvais bourgeois, avec ses variantes spécifiques *le notaire criminel et libidineux* et le *mauvais prêtre* (le jésuite cafard et hypocrite). Le rapprochement de ces deux types est significatif (Jacques Ferrand et Bradamanti, ex-abbé Polidori) : le notaire est aux secrets du Capital ce que le prêtre est aux secrets de l'Âme ! Pour le bourgeois enrichi, leurs deux fonctions sont un sacerdoce. À l'instar du prêtre qui absout dans le secret du confessionnal les crimes les plus hideux, le notaire, dans son étude, s'attache à protéger le calme apparent des familles et la respectabilité morale de ceux qui ont acquis leur fortune par les moyens les plus douteux. Ils sont donc tous deux les gardiens des apparences, dans une société où seule l'apparence va compter. Mais ils sont aussi des hommes tourmentés par des passions mauvaises cultivées dans le silence du cabinet de travail ou du monastère, et ils sont capables de mettre au service de ces passions leur grande puissance spirituelle et matérielle. Car le notaire passe pour un *saint homme* et le jésuite dispose des *trésors* de l'ordre.

Le lien objectif entre pouvoir d'argent et puissance morale est donc clairement indiqué. Mais, encore une fois, le mauvais notaire, le mauvais prêtre sont condamnés non parce que leurs fonctions sociales seraient, par nature, mystificatrices, mais parce qu'ils ont cédé à des passions individuelles incompatibles avec les entités morales qu'ils sont chargés de représenter. Au reste à côté d'un clergé corrompu, le roman populaire ne manque pas de faire figurer de saints prêtres pleins de vertus évangéliques.

Une image de la société

Un certain mythe de l'organisation sociale, une rêverie métaphorique de la profondeur et de l'enfouissement se font jour dans *les Mystères de Paris* et tous les romans populaires qui vont suivre. Ces romans sont profondément liés au décor parisien, et c'est peut-être dans le feuilleton que l'on trouvera les descriptions les plus lyriques de la Grande Ville, conçue comme abîme, maelström, labyrinthe, forêt fantastique, château gothique. En fait, la structure spatiale du roman noir est *plaquée* sur la grande ville industrielle ; elle a ses couloirs, son infrastructure souterraine, ses oubliettes, ses *in pace*. L'espace social est représenté par une série d'images spontanées dont la plupart se retrouvent sous la plume des contemporains de Sue — et que peut-être le lecteur serait tenté de ne plus remarquer. Image de l'échelle : « les hauts degrés de l'échelle sociale », « les derniers degrés de l'échelle industrielle », « si le lecteur pose d'abord le pied sur le dernier échelon de l'échelle sociale ». Image du théâtre : « les dessous de Paris ». Image d'une Amérique à explorer : « des régions horribles, inconnues », « les mœurs féroces des sauvages », « d'autres barbares aussi en dehors de la population que les sauvages peuplades si bien peintes par Cooper », « les barbares dont nous parlons sont au milieu de nous [9] ». Cette phraséologie singulière mérite que l'on s'y arrête. Les « classes laborieuses »

---

9. Toutes les citations qui précèdent sont extraites du livre I, chap. 1.

qu'on ne peut distinguer des « classes dangereuses » sont « en dehors de
la civilisation » : il faut prendre l'expression à la lettre, la caution de
F. Cooper permet à Sue de transgresser la clôture du monde romanesque
assimilé expressément au monde bourgeois ; de fait et de droit, l'ouvrier,
le « misérable », est étranger à l'univers du roman, il ne pouvait être
qu'une silhouette entrevue. Les contemporains jugeront la « plongée »
de Rodolphe dans les « bas-fonds », les « marécages » sociaux, comme
une entreprise littéralement scandaleuse. La distance sociale est ressentie
comme une immensité qu'on ne peut traverser et, certes, le prolétariat
urbain, à peine distingué du *Lumpenproletariat* et de la pègre, est aussi
loin des sentiments de solidarité bourgeoise que pouvaient l'être les
Iroquois ou les Mohicans. L'obstacle linguistique est souligné : l'argot
n'est pas une déformation pittoresque, c'est une *autre* langue qui exprime des mœurs excentriques. Jules Janin parlait de la « nation souterraine », Sue parle de la « fange », des « bas-fonds de Paris » ou, par
une allusion plus précise, des « cercles de l'enfer parisien ». Rodolphe
de Gérolstein est le Dante qui va traverser ces cercles, découvrir aux
lieux les plus sombres les liens mystérieux qui unissent pour le mal les
bagnards en ruptures de ban, les entremetteuses, les marquises et les
grands bourgeois. Cette indépendance apparente des différentes strates
sociales, cette distance extrême qui les séparent à première vue et les
liens réels que la marche du roman resserrent de plus en plus entre
elles, c'est là où l'imagination romanesque de Sue découvre, sur un
mode peut-être irréaliste, *le paradoxe essentiel de la société industrielle.*
Jean-Paul Sartre, dans une brève allusion au roman d'Eugène Sue, a
raison d'écrire : « *Les Mystères de Paris* viennent de l'interdépendance
absolue des milieux, liée à leur compartimentage radical ». *(Questions
de méthode.)* Certains faits sociaux, avant Sue, n'étaient pas « romanes-
quement » évocables, s'il nous est permis de parler ainsi. Tous les théo-
riciens sociaux de l'époque insistent sur ce fait : la menace permanente
de la misère et de l'engloutissement dans l'infamie apparaît au prolétariat
comme une destinée commune. Le titre du roman de Hugo, *les Misérables,* est encore un témoignage de cette ambiguïté : les misérables,
c'est à la fois les criminels et les malheureux.

Ce n'est que plus tard que *les Mystères de Paris,* « partis pour être
le livre des classes dangereuses », deviennent « le livre du peuple », dit
M. Chevalier, qui insiste sur la « situation dangereuse du plus grand
nombre », sur la « redoutable fraternité » qui lie le prolétariat et la
pègre [10]. Par une simplification qui sera celle de tout le feuilleton popu-

---

10. Chevalier, *op. cit.,* p. 73.

laire, les couches sociales intermédiaires — petits employés, boutiquiers, artisans — sont quasi absentes du roman. Le rôle historique du prolétariat ouvrier n'y est pas senti. Aux deux extrêmes, le grand monde et la pègre s'opposent et s'équilibrent. La volonté de faire coïncider le statut social et la légitimité morale entraîne dans cette hiérarchie sociale distendue des ascensions ou des chutes foudroyantes. L'argent, moralisé, est soit un principe actif ou un agent démoniaque ; la prostituée devient princesse. La fortune mal acquise se volatise en un instant. Dans tous les romans populaires, l'effondrement boursier devient un motif essentiel, expression d'une justice immanente. Félix Pyat dans le *Chiffonnier de Paris* envoie un pair de France à l'échafaud...

Roman et idéologie

L'analyse critique que Karl Marx fait subir à l'œuvre d'Eugène Sue aboutit à cette conclusion paradoxale : tous les personnages après l'intervention de Rodolphe, en dépit de la rhétorique morale qui couvre leurs métamorphoses, se sont considérablement dégradés dans l'ordre de l'humanité : Fleur de Marie en « pécheresse repentante », le Chourineur en « bouledogue moral », le Maître d'École en fou furieux hypocrite. Notons que cette critique, Marx la tire d'une contradiction entre la logique des personnages et les structures idéologiques. Y a-t-il une autonomie du champ romanesque ? Car, enfin, Marx parvient à critiquer Sue au nom même de ce que *sont* les personnages du roman. Nous reviendrons sur cette question.

Tous les biographes d'Eugène Sue insistent sur l'influence explicite du socialisme fouriériste, dans la forme vulgarisée par Victor Considérant et sa *Démocratie pacifique*, organe de l'aide fouriériste du parti républicain. C'est dans un article de cette revue que Considérant attribue pour la première fois à l'auteur des *Mystères* la qualification de « romancier populaire ». On voit que cette expression doit être prise à l'origine dans le sens fort de « romancier du Peuple » et non de « feuilletoniste infralittéraire », qu'elle a pris ultérieurement.

Les « fantaisies » et les « folies » de Charles Fourier étaient généralement moquées par la droite qui voyait dans le génial visionnaire du *Nouveau Monde industriel* une sorte de dément inoffensif, dont le vocabulaire néologique, les conceptions futuristes, la cosmogonie et l'analogisme universel ne méritaient que des haussements d'épaules. Les disciples de Fourier eux-mêmes, petits bourgeois, rassis et rien moins que visionnaires, étaient plutôt gênés des rêves grandioses de Fourier, et avaient édulcoré son œuvre ; ils en présentaient une version « raisonnable » et méconnaissable qui est en fin de compte celle que Sue semble avoir connue. Il reste que le soupçon de fouriérisme continuait à passer pour susceptible de ridiculiser son homme : « Voilà M. Sue frappant à la porte du phalanstère et nous apprendrons bientôt qu'il est néophyte dans une secte des Harmoniens [11]. »

En réalité, entre 1830 et 1848, une « école sociétaire » s'était développée. Les *Principes du socialisme* (1843), doctrine prudente, sinon pusillanime, soucieuse des formes et pacifiste avant tout, en représentent le manifeste : le phalanstère s'imposera par l'exemple [12]. Des clubs fouriéristes naissent en 1848 ; Considérant devient membre de la fameuse Commission du Luxembourg. Les « ateliers nationaux » apparaissent comme une parodie grotesque du Phalanstère. Les clubs semblent se complaire dans le bavardage et les plus résolus des ouvriers fouriéristes finissent par passer au blanquisme [13]. Il suffit de lire Fourier, en tout cas, pour se rendre compte que les défauts essentiels de la pensée de Sue ont été d'avance dénoncés par le théoricien de l'Attraction passionnée. Celui-ci n'a pas eu de meilleures cibles que les moralistes, qu'il tient tous pour d'infâmes scélérats. Combien il se moque de « la Morale protectrice du Commerce », « cette plaisante science, qui, avec dix mille systèmes contradictoires veut changer la nature » ! La critique radicale de tout moralisme transcendantal est ce qui a été le moins compris chez Fourier et ce qui reste de plus puissant et de plus juste chez lui. Marx ne s'y trompe pas qui, dans *la Sainte Famille,* distingue fort bien le réformisme erratique de Sue de la critique magistrale du mariage donnée par Charles Fourier [14].

Les Fouriéristes semblent retenir de leur maître à penser ce qu'il y a de plus faible : « l'union et l'association fraternelle entre les chefs d'industrie et les travailleurs », la réconciliation des classes. Ils prônent les vertus de l'association, le droit au travail comme droit d'accès aux richesses naturelles, la démocratie conçue dans l'organisation sociale et non à travers le suffrage universel. Ils laissent dans l'ombre la théorie des passions, la critique radicale de la famille, les intuitions freudiennes,

---

11. Nettement, *op. cit.,* p. 141.
12. On pourrait revoir ici *les Luttes de classes en France* de Karl Marx et *Socialisme utopique et Socialisme scientifique* de Friedrich Engels.
13. Cf. Félix Armand, *les Fouriéristes et les luttes révolutionnaires de 1848 à 1851,* Paris, Presses universitaires de France, 1948.
14. *La Sainte Famille,* Paris, Editions sociales, s. d., p. 231.

et bien sûr le mysticisme analogique. Plus qu'à la révolution sociale, Fourier cependant songeait à changer la vie [15].

On pourrait plus simplement classer Sue parmi les « socialistes philanthropes », les « socialistes humanitaires » : socialement, il n'a jamais prétendu être un penseur original. Il n'est pas loin du prophétisme ouvriériste d'Émile Souvestre et de George Sand. Il ne faut pas oublier qu'il est avant tout un romancier et que la question sociale est souvent ressentie par lui comme un thème de roman noir. L'évolution politique de Sue ira d'ailleurs dans le sens d'une plus grande cohérence, d'une rupture avec le pacifisme et le réformisme. Il écrit en 1848 dans les Mystères du peuple : « Il n'est pas une réforme religieuse, politique ou sociale que nos pères n'aient été forcés de conquérir de siècle en siècle au prix de leur sang par l'insurrection. »

Dans les Mystères de Paris, le héros prométhéen détient, certes, un pouvoir qui lui permet de redresser les injustices sociales, mais ce pouvoir est le fruit de sa situation sociale privilégiée et de sa fortune. Il semble impossible au romancier de concevoir, fût-ce à un niveau très irréaliste, l'origine possible d'un contre-pouvoir, d'une autre légitimité que celle de la bourgeoisie et du capital. Plus tard, le roman populaire développera, on l'a vu, un thème intéressant : celui de la société secrète qui aide le héros, par ailleurs dépourvu de moyens financiers. (Dumas, les Mohicans de Paris ; Aimard, les Invisibles de Paris, etc.) On voit ce qui est effacé, ou mis dans l'ombre, par ce motif nouveau : le rôle historique du prolétariat, seule « société secrète » susceptible de faire réellement vaciller le pouvoir bourgeois.

La structure narrative du roman prométhéen ne possède pas un dynamisme propre qui arracherait les valeurs du héros à l'idéologie dominante. Ce qui manque à Sue, c'est de pouvoir concevoir une idéologie « de rechange » : il ne parvient qu'à tourner maladroitement les valeurs les plus abstraites de la bourgeoisie contre elle-même. Roman de la désaliénation, les Mystères de Paris ne peuvent penser l'origine de celle-ci que dans le système même dont Rodolphe de Gérolstein, prince germanique, tire son prestige et son argent !

Il faut, dès lors — et ceci est une conséquence de l'aporie idéologique qu'on vient de circonscrire — que la circulation de l'argent, le

---

15. Eugène Sue est l'auteur d'un roman plus nettement fouriériste : les Sept Péchés capitaux où il oppose à la morale chrétienne du péché la thèse du caractère utilitaire des passions. Chaque personnage des sept récits est la proie d'un des « péchés capitaux » de la tradition catholique, mais il ne résulte de son vice que d'excellentes conséquences pour son entourage et pour lui-même. Ce recueil est donc une sorte d'anti-catéchisme travesti en roman noir.

phénomène le plus étranger à toute idéologie humaniste, soit sans cesse moralisée.

D'autre part, le redresseur de torts philanthrope, par les réformes tactiques qu'il propose, conteste l'organisation sociale en s'arrêtant à temps. Du même coup, il espère empêcher cette société de s'effondrer. La philanthropie, du reste, est sans cesse présentée comme un divertissement : le bienfaiteur de l'humanité est mû surtout par le désir de se désennuyer. Le thème dominant du roman en matière sociale est *l'association du capital et du travail*, théorème fouriériste et vieux serpent de mer du réformisme bourgeois, et les vertus de *l'organisation du travail*. D'où les patrons philanthropes dont Sue trace dans son œuvre les portraits avantageux, d'où les fermes coopératives (celle de Rodolphe, III, chap. VI), les banques des pauvres (VIIIᵉ partie), les manufactures modèles (dans *le Juif errant)*, les monts-de-piété humanitaires, dont Karl Marx démonte la faiblesse de conception pratique. Toutefois ici encore, le caractère abstrait et spéculatif de ces institutions imaginées par Sue est en quelque sorte dénoncé dans le roman par le thème qui court dans le récit de l'opacité actuelle des relations sociales, de la sérialisation des individus, du caractère inhumain de leurs contacts, thème illustré par cette maison de la rue du Temple où tant de misères différentes se coudoient sans pouvoir s'associer.

Cependant, Eugène Sue, quand il veut explicitement analyser les obstacles qui s'opposent à la réalisation immédiate de son programme, retombe dans le moralisme. Ces obstacles sont : 1) « l'inertie ou le mauvais vouloir des gouvernements [16] », le pouvoir politique étant conçu par Sue comme indépendant du pouvoir économique ; 2) l'ignorance et la méchanceté des « riches ». Toutes les questions d'économie politique font donc l'objet d'une métamorphose idéaliste : le problème devient soit un problème de morale individuelle, soit un problème de législation. Cette méconception spéculative des déterminations sociales a pour résultat de réduire dans tous les cas l'homme à une abstraction, tout en ramenant la société à la transparence de rapports juridiques. « Si les riches savaient ! », telle est l'antienne que répète l'ouvrier, résigné [17]. Non: la haute classe est « égoïste ». Qui fixe le salaire ? Les lois du marché ? Non : le patron est « avide ». Combien plus véridique est la diatribe de Jules Janin, dans un des seuls romans du temps dépourvu de tout humanisme idéalisant : « Que me font vos mœurs de salon dans

---

16. *Le Juif errant*, livre XIX, chap. 20.
17. *Les Mystères de Paris*, livre II, chap. 6.

une société qui ne vivrait pas un jour si elle perdait ses mouchards, ses geôliers, ses bourreaux... [18]. »

Le confusionnisme de Sue atteint son acmé dans la notion de *justice*, où l'auteur pratique excellemment ce que Roland Barthes appelle, dans ses *Mythologies*, « l'opération Astra [19] ».

I. *Certes*, la justice humaine est imparfaite ; on montre longuement sa partialité, la bassesse de ses exécutants, ses erreurs, la cruauté de la peine de mort [20].

II. *Mais*, cette justice possède une capacité immanente de réforme. Si imparfaite soit-elle, elle procède de l'idée platonicienne de Justice. C'est dans cette mesure que Rodolphe prétend se substituer à la providence : on retrouve la vieille opposition justice humaine — justice divine. Les théories judiciaires de Sue ne seront en fait qu'une rêverie chrétienne sur les valeurs du repentir, du sacrifice et de la récompense. Marx va critiquer ces théories : sa défense du régime cellulaire [21], son apologie d'une justice vertueuse, récompensant les pauvres en leur inspirant l'amour du bien [22], sa polémique en faveur du divorce [23].

Mais encore une fois, le roman lui-même, la description de la misère morale et matérielle qu'on y dépeint, constituent une sorte de critique immédiate des thèses soutenues par Sue. C'est d'ailleurs contre ces descriptions que les conservateurs vont s'élever avec le plus de véhémence ; Alfred Nettement s'exclame, avec un cynisme parfaitement inconscient, qu'elles « souillent l'imagination de ceux qui ne les auraient jamais connues [24] ».

*   *   *

Les Mystères de Paris sont un roman où la puissance historique du prolétariat est entrevue par un grand bourgeois, intelligent et généreux, dont le projet de contester l'organisation sociale est entravé par les contradictions idéologiques propres à sa classe.

Toute idéologie, prise comme telle, étant une fausse totalité, est dépourvue de contradiction intrinsèque. On peut la mettre à l'épreuve du réel (ce que fait Marx en démontrant que la « Banque des Pauvres »

---

18. Dans *l'Ane mort et la femme guillotinée.*
19. Roland Barthes fait allusion à la publicité d'une célèbre marque de margarine française ; énoncé insistant sur les désavantages possibles de la margarine, puis renversement final : « C'est aussi bon que le beurre ! »
20. Sur la justice, livre VIII, chap. 1 ; sur la peine de mort, livre VIII, chap. 2.
21. Livre V, chap. 16.
22. Livre V, chap. 8.
23. Livre V, chap. 5.
24. A. Nettement, *op. cit.*

dont Sue est si fier, fera faillite en six mois) ou examiner l'insertion des
paradigmes idéologiques dans cette totalité structurée qu'est le roman
lui-même. C'est admettre une certaine autonomie de ce qui est romanesque dans le roman : il serait impossible de ramener le littéraire
à l'idéologique, de même qu'il est impossible de ramener l'idéologique
à l'économique [25]. La médiation entre le littéraire et l'idéologique ne saurait cependant résulter d'une réflexion dans l'œuvre de la *réalité*
même, sans qu'on tombe dans l'illusion réaliste ; mais, on l'a vu, les
données du roman suffisent souvent à en contredire la *doctrine* [26]. Au
reste, Sue fut peut-être plus admiré pour la perception aiguë qu'on lui
reconnut de la réalité que par les tirades socialistes qu'il inséra dans le
roman.

Il importe de voir que le livre donne implicitement la critique de
son contenu idéologique, comme il ressort clairement du procédé dont
Marx se sert fréquemment dans sa critique : la logique romanesque, la
cohérence des caractères, les exigences du vraisemblable lui permettent
d'attaquer l'idéologie incluse. Il y a, en permanence, une tension entre
la structure globale (le mouvement de libération impliqué par le récit
prométhéen) et les thèmes idéologiques avec leurs apories. Derrière
cette contradiction apparaît celle de l'auteur : Sue s'est *voulu* le représentant d'une idéologie, mais il *n'a pu se vouloir* tel que Marx le décrit.
Le tempérament de Sue, plus visionnaire que conceptuel, le porte vers
ce genre ambigu, le roman, où les « idées » ne s'offrent jamais telles
quelles et où le champ romanesque (structure fonctionnelle, rhétorique
narrative, code psychologique et sémiologie sociale) reste en tension per-
pétuelle avec l'idéologie explicite.

---

25. Cf. discussion de ces questions dans : Pierre Macherey, *Pour une théorie de la
production littéraire*, Paris, Maspero, s. d.
26. Distinction proposée par Lénine et reprise par Pierre Macherey.

CHAPITRE II

LE ROMAN POPULAIRE REVANCHARD

Entre la défaite de 1870 et la Grande Guerre, il s'est développé, tout « naturellement », une variante du roman populaire dont la commune inspiration idéologique permet de parler de *veine revancharde*. Il ne s'agit pas à proprement parler d'un genre littéraire spécifique ; on regrouperait sous la qualification de roman revanchard des récits structurellement très divers qui intègrent un certain nombre d'axiomes idéologiques chauvins et présentent une image fortement partisane et naïvement roublarde de l'opposition politique franco-allemande, opposition transposée au niveau de conflits interindividuels. Ces récits dont le rapport à l'idéologie est purement passif et spéculaire apparaissent en général comme des variantes du roman prométhéen (voir le chapitre IV de la première partie) auquel viennent s'adjoindre certaines règles narratives et certains topoï empruntés à des formes particulières, comme le roman policier à énigme ou le récit d'espionnage (genre qui semble alors en formation et dépourvu encore d'autonomie véritable). Nous pensons particulièrement à trois romans dont les rééditions dénotent le succès et qui peuvent figurer comme des modèles du genre. Il s'agit de *l'Alsacienne* d'Aristide Bruant dont le second épisode a pour titre *la Fiancée de Lothringen* ; de *Zigomar au service de l'Allemagne*, du prolifique mais subtil Léon Sazie, et enfin du plus cocoriquant et chauvin, s'il se peut, de la série, *Cœur de Française !* d'Arthur Bernède, créateur d'un personnage de policier à la crânerie bien française, qu'en l'honneur sans doute du gallinacé de Rostand il avait nommé Chantecoq. Il serait possible d'élargir ce choix en incluant dans cet étroit corpus certains récits d'aventure coloniale où un nationalisme intolérable se combine avec une germanophobie ou une anglophobie virulentes (Paul d'Ivoi), mais outre que de tels récits sont idéologiquement hétérogènes, ils n'ont pas la clarté démonstrative de ceux dont l'action se situe en Europe continentale. (Au reste, l'ennemi colonial demeure encore en 1914 la Grande-Bretagne et non le Reich allemand.)

Les romans auxquels nous allons faire référence sont malaisément datables. Le dépôt légal d'ouvrages de cette sorte n'était respecté que de façon très désinvolte et la parution en volume est toujours précédée (mais de combien) d'une édition « préoriginale » en feuilletons ou en fascicules vendus à la pièce. Le récit d'Aristide Bruant doit dater de 1910 environ, mais l'édition consultée a paru en 1920, et il n'est pas exclu qu'elle s'écarte pour certains passages d'une première version antérieure à la Guerre. Le roman de Léon Sazie a été tiré en feuilletons dans *la Matin*, en 1912, sous le titre de *Peau d'anguille*. L'édition que nous avons en main, au titre plus explicite, a été réalisée en 1916.

Cœur de Française est paru en fascicules entre le début de 1913 et juillet 1914 (!) et il semble bien, à lire le « prière d'insérer » et la publicité, que ce soit là une première édition. Enfin nous ferons appel dans quelques circonstances, à un ouvrage publié par Charles Solo, romancier à succès d'origine belge, en 1918 ou, au plus tôt, en 1917 : *la Folle de Dinant*. Il s'agit d'un « roman de guerre » où l'idéologie revancharde a évidemment subi des transformations notables [1].

« L'Alsacienne »

Le récit de l'Innocence-Persécutée, dont Jules Mary avait été le plus habile promoteur, fournit un schème d'attente qui sera rempli par les types idéologiques sommaires de la jeune Alsacienne dont le cœur est français et du capitaine de uhlans hautain et cruel. *Orphelins d'Alsace* de Paul Bertnay, *Fille d'Alsace* de Pierre Decourcelle, parus environ à la même époque, se livrent à des variations sur les mêmes thèmes que Bruant.

Ce microthème de la jeune fille innocente et martyrisée est, d'ailleurs, un des constituants les plus anciens des récits paralittéraires.

---

1. Marcel Allain et Pierre Souvestre, *Naz-en-l'air*, Paris, Arthème Fayard, 1912-1921 (le volume complet 65 centimes), 15 vol. de 380 pages environ ; Arthur Bernède, *Cœur de Française. Roman dramatique et patriotique*, Paris, Librairie illustrée [Tallandier], 1913, in-4° de 1024 pages en 128 fascicules, h.-t., ill. ; Aristide Bruant, *l'Alsacienne (en deux parties : l'Alsacienne et la Fiancée de Lothringen)*, Paris, Jules Tallandier, « collection du livre national », 1920 (réédition), in-16 de 255 et 256 p., couv. ill. ; Léon Sazie, *Zigomar au service de l'Allemagne*, Paris, J. Ferenczi, 1916, in-8° de 379 p., couv. ill. ; Charles Solo, *la Folle de Dinant*, suivi de *Sang maudit*, Paris, Jules Tallandier, 1918, in-16 de 255 et 248 p., couv. ill.

C'est au fond l'élément narratif essentiel d'Ann Radcliffe (avec Emily de Saint-Aubert, dans *les Mystères d'Udolphe*, Adeline, dans *le Roman de la Forêt*, Ellena, dans *l'Italien*). Il n'est guère de récit populaire qui ne le mette en œuvre, fût-ce sous une forme fugace. Aristide Bruant, chansonnier et feuilletoniste fameux, raconte dans *l'Alsacienne* la lamentable histoire de la jeune et touchante Marie-Thérèse Kloster. Orpheline de mère, elle est contrainte par son père, incarnation d'un capitalisme apatride et sans entrailles, à jurer d'épouser l'odieux lieutenant prussien Wangen. Elle aime en secret un jeune artiste, Franz Steiger, qui pour ne pas s'éloigner de celle qui s'est promise à lui, s'est engagé, malgré sa répugnance, dans un régiment de *uhlans* et se trouve sous les ordres de son rival. Cet amour secret est protégé par le grand-père de la jeune fille, vieux sculpteur aveugle que ses sentiments français exposent à de basses persécutions. Le bon fiancé, lui aussi français de cœur, déserte et passe la frontière. Le père, désireux de se débarrasser du gêneur que sa fille prétend ne pas oublier, parvient à faire accuser Franz Steiger de vol. Les malheurs s'accumulent, trop nombreux pour qu'on les détaille. Au dénouement, le lieutenant Wangen se ressaisit, et malgré ses origines germaniques, parvient à prendre conscience de sa bassesse ; il fera évader Franz, condamné à mort pour désertion par un tribunal allemand : l'amour et la France triomphent.

« Cœur de Française »

Le roman-fleuve d'Arthur Bernède transpose et délaie le thème d'un mélodrame à succès dont il était déjà l'auteur. Un ingénieur français, Jean Aubry, s'est fait dérober les plans d'un aéroplane par un Alsacien abject, traître à sa patrie naturelle, espion allemand. Sa fille, Germaine, noble figure de jeune française, décide alors de partir pour l'Allemagne sous un nom supposé, de se faire engager comme gouvernante chez le général von Talberg, chef d'état-major, « non pas seulement pour m'efforcer de reprendre nos secrets à nos ennemis, mais pour tâcher de surprendre les leurs » (Bernède, p. 14). Elle va, somme toute, faire de l'espionnage à son tour ; devra repousser les avances teutonnes de von Talberg et de son fils, lieutenant joueur et dévoyé ; sera dénoncée, arrêtée ; dira son fait au tribunal militaire et n'en sera pas moins condamnée à quelques années de forteresse. Intervient alors le patriotique détective Chantecoq, qui, avec l'aide du fiancé de la jeune fille, le capitaine Maurice Évrard, et de comparses, se met en devoir : 1°) de la faire évader, 2°) de continuer sa tâche et de démanteler l'es-

pionnage allemand. Il s'attaque au prince von Ripert, chef de l'espionnage et à l'aventurière internationale qu'utilise celui-ci, l'inquiétante
princesse Marfa Tschernikoff. Chantecoq va porter au contre-espion-
nage allemand des coups dont il sera long à se remettre. L'Empereur
Guillaume tremble en songeant à cet insaisissable ennemi. Au bout
de 1600 pages, Germaine Aubry s'évade — en aéroplane comme il se
doit. Un duel met aux prises le traître alsacien et le capitaine français.
Le misérable est tué, le général von Talberg reconnaît la supériorité et
la grandeur de la France. L'heure de la revanche finale est annoncée.

On voit qu'un tel récit est inséparable du métadiscours idéologique
qui le commente. Il faut bien de la casuistique chauvine pour ne pas
penser que les personnages français ne se conduisent justement pas selon
les lois les plus chevaleresques, mais il faut croire qu'en matière de
combat entre nations seule la loi du talion s'applique adéquatement.

« Zigomar au service de l'Allemagne »

La série des *Zigomar*, due à la plume de Léon Sazie, égale, par
l'imagination cocasse et l'habileté de l'intrigue, son célèbre rival, les
Fantômas d'Allain et Souvestre.

Léon Sazie, déjà fameux pour ses récits d'aventures policières (*le
Pouce, le Masque aux dents blanches,* etc.) avait remporté avec *Zigomar*, paru primitivement en feuilletons dans *le Matin*, un immense
succès. « C'est un coup de Zigomar ! » devient une scie populaire.
Maurice Chevalier crée à l'Alhambra : « Elle a perdu son Zigomar ».
La première version de *Zigomar au service de l'Allemagne* paraît dans
le Matin à partir de mai 1912, sous le titre de *Peau d'anguille.* Le récit
n'est probablement pas, de beaucoup, le meilleur de la série. On y
relate une affaire de vol de documents diplomatiques (un traité franco-
anglais sur les Dardanelles). Le criminel Zigomar traite avec l'espion
allemand Otto Friedenstrasse qui semble avoir pignon sur rue à Paris
et disposer de moyens immenses grâce à la colonie allemande en France.
Le quai d'Orsay fait appel à Paulin Broquet, détective indomptable
qui pourchasse Zigomar d'épisode en épisode. Cette donnée simple se
complique dans la mesure où Zigomar, comme à l'accoutumée, revêt
plusieurs personnalités apparemment honorables. D'autre part l'espionnage allemand tente de doubler Zigomar qui, on s'en doute, sait se
défendre. Dans l'ensemble le récit, farci de rebondissements, scènes d'horreur et coups de théâtre, aboutit à la victoire totale de Paulin Broquet,

à l'écrasement du réseau d'espionnage allemand. Quant à Zigomar, selon la recette éprouvée, il échappe à l'ultime minute à un juste châtiment.

La lecture des *Zigomar* d'avant la guerre et du *serial Satanas*, vers 1920, permettrait de repérer la naissance des invariants de base du récit d'espionnage qui tend dès cette époque à devenir indépendant tout en subissant encore un fort marquage de moralisme patriotique.

Dans le même type de récit — le roman d'espionnage revanchard — nous aurions pu utiliser le *serial* d'Allain et Souvestre, *Naz-en-l'Air* (1912), qui brode sur des thèmes analogues à ceux que l'on rencontre dans *Zigomar au service de l'Allemagne.* Les auteurs de *Fantômas* ont en effet publié entre 1910 et la guerre plusieurs romans à épisodes, aussi interminables que ceux où sont contés les méfaits du « Maître de l'Effroi », notamment *Titi-le-Moblot* et *Naz-en-l'Air,* ce dernier en une quinzaine de volumes (*les Tueuses d'hommes, Traître et Ministre, Espions de l'air, Crimes d'empereur,* etc.). Ce sont les dimensions mêmes de l'entreprise qui nous détournent d'en rendre compte, sauf à citer çà et là certains passages significatifs de ce déluge.

*   *   *

Ce qui caractérise de la manière la plus immédiate l'ensemble de ces récits est le partage des personnages en deux camps et la polarisation axiologique sans nuance qui en résulte. La narration est sans cesse entrecoupée de passages directement idéologiques, où les vertus françaises sont mises en regard des vices allemands. On pourrait dresser d'interminables listes des traits caractéristiques du tempérament français, exaltés sans vergogne comme tels ; donnons-en quelques exemples :

... esprit de bon aloi... (Bernède, p. 48).

... gaieté franche et distinguée... (Bernède, p. 48).

... bravoure chevaleresque...

... intelligente audace... (Bernède, p. 49).

... caractère chevaleresque de notre race... (Bernède, p. 383).

... les promptes et spirituelles réparties qui sont le fond de notre caractère... (Bernède, p. 636).

... sa vitalité, sa hardiesse, son génie... (Sazie, p. 51).

... le courage indomptable et la bravoure la plus follement gaie... (Sazie, p. 192).

Il faudrait insister tout particulièrement sur un néologisme qui synthétise l'époque : la qualité française la plus estimable, c'est la *crânerie* ; le français est *crâne* [2], il *a du cran*... *La crânerie*, mélange de bravoure, de panache et de stoïcisme, est présentée comme le trait de caractère dominant de la race. Il semble qu'on puisse apercevoir ici la transcription altérée d'un système de valeur aristocratique où le courage individuel est inséparable de qualités courtisanes : être homme de bonne compagnie, fuir la jactance et la présomption, dissimuler ses mérites autant que savoir se dominer dans l'épreuve. Mais, étant donné l'autosatisfaction matamoresque qui hante les textes dont nous parlons, il y a quelque ridicule à se référer avec tant d'insistance à cette vertu de *crânerie* dont les Français, seuls dans l'univers, seraient pourvus. Au milieu de ces litanies complaisantes une réserve toutefois : « La France est divisée par les passions sociales. Elle est la proie des politiciens. » Sans doute. Mais « qu'est-ce qu'un parlementaire devant le drapeau ? » (Bernède, p. 1019 [3]). Seuls les conflits entre nations existent dans le roman revanchard : les Français font face à la menace étrangère, sans distinction de classe, d'opinion ou de condition, soudés entre eux par les vertus ataviques de leur peuple.

Quant aux Allemands, leur image ethnique est évidemment bien différente ; on relèvera au passage :

... leur ordinaire lourdeur d'esprit...

... leur partialité révoltante...

... leur mauvais goût éhonté... (Allain, III, p. 99).

... leur impertinence... (Bernède, p. 645).

... [ils] promettent toujours et ne tiennent jamais... (Bernède, p. 680).

... [ils ont] la cervelle fumeuse... (Sazie, p. 97).

... le respect de l'uniforme voisine chez eux avec la lâcheté... (Bernède, p. 995).

Ici encore on pourrait poursuivre ; c'est par quelque mécanisme de projection que Sazie leur reproche par exemple de « se croire d'essence supérieure » (Sazie, p. 5).

---

2. « Faisons de la police à visage découvert. Ce sera plus chic, plus crâne et plus français ! » (L. Feuillade, *Judex*, p. 93.)
3. Si le roman d'Arthur Bernède ne présente que des traces d'antiparlementarisme, ce thème idéologique prend au contraire des dimensions délirantes dans *Naz-en-l'Air* où le président du Conseil même, l'infâme Pajot, est un traître !

Mais dans tous ces récits, plutôt que de détailler l'Allemand dans une typologie vengeresse, le narrateur préférera le montrer dans sa vie quotidienne, détailler des types physiques accusés, des mœurs ignobles, des attitudes détestables. Les mêmes détails vont se répéter : il faut le voir, cet Allemand, avec son ventre énorme, sa face ronde et plate au triple menton, attablé devant son bock de bière, mangeant goulûment choucroute et confits d'oie tout en roulant dans sa tête quelque bassesse, quelque moyen ignoble de faire souffrir la France et les Français. Tel est le portrait-robot qui peut s'orner de développements saugrenus. Bernède présente un jeune Allemand de cinq à six ans : exclusivement nourri de choucroute et de bière depuis le maillot, revêtu d'un uniforme de fantaisie, il marche au pas de l'oie devant ses géniteurs extasiés.

Admis donc que tous les Allemands présentent à des degrés divers des traits de scélératesse, d'ignominie ou au moins de lourdeur et de stupidité ; que chaque Français, du plus « humble » au plus élevé manifeste selon sa condition, une noble abnégation, une tranquille audace, une bravoure intrépide, qu'en sera-t-il des *Alsaciens* ? Êtres hybrides ? Non, car le roman idéologique pur, hostile déjà à la nuance, ne pourrait admettre la contradiction intérieure, l'ambivalence. L'Alsacien a le choix entre deux options contradictoires, l'une légitime, qui le relie charnellement à la France, source terrestre de toute grandeur et de tout héroïsme ; l'autre démoniaque, qui peut l'amener à pencher vers l'Allemagne, ce qui ne sera perçu qu'en terme de trahison. Il mettra dans cette trahison une frénésie d'abjection qui l'égalera d'un coup aux plus méprisables des types germaniques dont le récit trace les peu avantageux portraits.

Nous nous trouvons en effet confronté à une idéologie raciste pure et simple où les valeurs du *sang* déterminent les particularités morales. Rencontre-t-on une Allemande dont on ne doive pas se méfier ? Il faut expliquer ce miracle : « D'abord c'est une annexée : elle a du sang français dans les veines. » (Bernède, p. 1002.)

Les personnages pourvus d'un père allemand et d'une mère française illustrent clairement les lois rigoureuses de cette biologie chauvine.

Éva Strelitzer, dans *Cœur de Française* : « En dépit de ses ascendants maternels, du cœur et de la noblesse d'âme dont elle avait hérité, elle ne pouvait échapper complètement à l'influence allemande qui lui venait de son père. » (Bernède, p. 636.)

Le racisme s'exprime ici de manière rigoureuse : toute appétition au bien chez un Allemand ne peut qu'être l'indice d'une ascendance maternelle française. Ces malheureux « sang-mêlé » se trouvent alors ballottés dans tout le récit entre deux modes d'être antinomiques ; mais le « sang » français, le plus vigoureux, finit par prendre le dessus et au dénouement, le personnage parvient à racheter son origine à demi-germanique.

Cette homologie de la détermination ethnique à la détermination psychologique s'étend à toutes les nationalités qui peuvent figurer dans le récit. Les Russes bénéficient de l'alliance bipartite qui se monnaye en qualités morales appréciables, mais ils manifestent nécessairement une ferveur intense pour leur alliée républicaine qui les incite à une humilité de bon aloi : « Ah ! que n'avons-nous en Russie... de tels caractères, de tels cerveaux... et surtout de tels cœurs ! » (Bernède, p. 49.)

À ce racisme véritable qui dérive de l'idéologie chauvine, s'adjoignent, selon les récits, diverses composantes particulières ; notamment, une xénophobie intense, fondée sur une espionite obsessionnelle, et entretenue par des « bobards » insensés.

Les alliés des Allemands sur le territoire français ce sont les « métèques », les Izigo Martolo, les James Bénamol, dans *Zigomar*. Mais surtout l'Empire germanique possède en France une deuxième colonne : neuf cent mille sujets allemands sont établis à demeure en France, affirme Léon Sazie. La France généreuse a accueilli dans son sein ces étrangers, *tous* espions et capitalistes impitoyables. Ils ont fait main basse sur l'économie française [4], quadrillé Paris en sections : on peut dire que l'espionnage y a pignon sur rue. Il est frappant de retrouver dans ces accusations tous les thèmes polémiques de l'antisémitisme « à la française », celui d'Édouard Drumont et de *la Libre Parole*, mais, cette fois, appliqués aux Allemands établis en France. Cette transposition pure et simple donne à réfléchir d'autant plus que le « roman revanchard » ne semble pas faire figurer de personnages juifs — pas plus que du reste les autres romans populaires que nous avons eu à consulter — si ce n'est sous une forme très épisodique. Il y a, dans *l'Alsacienne*, un Monsieur Mirowsky, reconnaissable à un « nez légèrement crochu », et qui ne se montre guère sympathique, le temps d'une page. Mais on ne peut parler ici d'un antisémitisme actif. Tout au plus bute-t-on çà et là sur quelques lieux communs peignant les Juifs comme des gens obséquieux et avides, sans que de tels clichés soient réellement développés. Une telle constatation peut paraître significative : il ne semble pas y

---

4. On rappelle avec horreur cette phrase attribuée à Bismarck : « Paris est la plus belle des colonies prussiennes. » (Sazie, p. 93).

avoir en France, à cette époque, de base « populaire » (si vague que soit l'épithète) à l'antisémitisme [5].

Dans *la Folle de Dinant*, le « traître » se nomme Wilfrid Conrad Rosenbaum, il est fils unique d'« un ignoble usurier de Hambourg ». À s'en tenir au patronyme, nous pouvons croire que Charles Solo l'a voulu Juif. Toutefois ce point reste ambigu : c'est en tant qu'Allemand qu'il est dénoncé ; ses crimes et ses bassesses sont expressément expliqués par son origine germanique.

* * *

Le caractère totalitaire de l'idéologie revancharde se manifeste en ceci que le système manichéen des valorisations envahit la totalité du champ sémiologique. De proche en proche, tout ce qui touche à l'Allemagne, tout ce qui rappelle, fût-ce indirectement, un trait germanique est marqué péjorativement. Ainsi, du domaine de la nourriture : les comestibles « français » s'opposent à la mangeaille teutonne, comme le jour à la nuit et le bien au mal ; le menu allemand, composé de « choucroute, saucisses, jambons, confits d'oie, bœuf salé, tartine de saindoux », suppose des estomacs particuliers capables de l'absorber sans dommage : « dis-moi ce que tu manges, je te dirai qui tu es ». Même opposition dans le domaine des boissons nationales : les Français élèvent un hymne au vin, les Allemands entonnent un péan en l'honneur de la bière :

> Le vin des Gascons est léger, chaud, vermeil ; il fait mousser le cerveau et dresser la tête jusqu'aux nuages. La bière des Allemands n'a que la couleur du soleil — du soleil de minuit presque — que l'on cache dans le grès du pot à couvercle d'étain ; sa mousse est une écume qui bave le long du récipient et elle pèse au ventre. (Sazie, p. 95.)

Ailleurs, ce sera l'architecture fine, élégante et racée de la France qu'on mettra en regard des constructions d'un mauvais goût « kolossal » qui déparent les villes allemandes.

---

5. On notera cependant la parution après 1885 de quelques romans à diffusion massive d'un antisémitisme démentiel, produits du traumatisme social et idéologique provoqué par le krach de l'Union générale (cf. par exemple, *la Comtesse Schylock* (*sic*) de G. d'Orcet, 1885). Toutefois ces romans publiés par d'autres éditeurs que ceux qui dominent dans la paralittérature que nous connaissons, se diffusent par d'autres canaux et leurs auteurs, idéologues de *la Libre Parole*, ne sont pas non plus connus en dehors des grotesques récits anti-juifs qu'ils ont publiés. On se référera à l'ouvrage très bien documenté de J. Verdès-Leroux, *Scandales financiers et antisémitisme catholique* (Paris, Centurion, 1969).

Si les Allemands ont un empereur que, malgré sa médiocre prestance, ils prétendent révérer, le Français a lui aussi son empereur « venu des montagnes lointaines de la Corse, dont l'existence avait été une épopée plus belle que celles d'Alexandre et de César ». (Allain, X, p. 224.) On voit à qui revient l'avantage.

Dans un épisode de *Zigomar*, Léon Sazie parvient même à enrôler les microbes dans la querelle nationaliste ! Le traître allemand a fait subir à une innocente française une injection du virus de la peste. Mais la France (patrie de Pasteur !) possède un contre-sérum : « ... et nous prierons le dieu des armées invisibles de donner la victoire aux soldats du bien et de la justice », conclut le bactériologiste français, en parlant de la lutte des « bons » microbes français contre les mauvais microbes teutons... (Sazie, p. 321).

Ce manichéisme se répercute de façon tout à fait significative au niveau des personnages féminins. La France est femme ; la Française, gardienne du foyer, future épouse du guerrier, incarne les vertus de sa race, en tenant tête à un tribunal allemand. Elle invective les officiers atterrés en leur reprochant l'annexion de 1870. L'image fantasmatique de la pure jeune fille française, la main sur le cœur, le regard fier et provocant au milieu de reîtres ignobles, portant schapska et casque à pointe est de celles, semble-t-il, qui amenait le public au comble de l'émotion — au moins autant que celle de la jeune Alsacienne, auréolée de la coiffe à cocarde tricolore, contemplant douloureusement le sol de la patrie perdue qui s'étend là-bas, au-delà du poteau-frontière.

À ce personnage positif, s'oppose radicalement un type romanesque qui se rencontre à la fois dans *Cœur de Française* et dans *Zigomar*, et qui en fait domine le récit d'aventure et le récit revanchard de la Belle Époque à la guerre : c'est celui de la belle espionne, de l'aventurière cynique, qui tentent de détourner de leur devoir grâce à leur séduction satanique des officiers français pris à leur charme. Elles ne sont pas allemandes — puisque le récit pose comme incompatibles la germanité et le charme féminin — mais le plus souvent russes ou polonaises. Malgré l'alliance franco-russe, l'Empire des tsars reste terre inquiétante et suspecte et le topo du « charme slave » vient authentifier ce personnage conventionnel. Le français, né galant, ne peut résister au charme féminin — mais la belle espionne incarne également la perfidie, la duplicité de ce sexe et fixe sur elles les vices majeurs que les misogynes imputent aux femmes, tandis que la *Française*, toute de droiture et de fierté franche, est au contraire, dans le récit, dépourvue de propension à la coquetterie ou à la ruse et peut rassurer le guerrier français sur son inébranlable fidélité. Il y a donc dichotomie de la féminité en deux pôles opposés sans transition ni nuance. La belle espionne est un avatar, tardif, peut-être représentatif de la libido collective sous Fallières et Poincaré, de la *femme fatale*. Ce type apparaît dans le roman noir (Matilda, dans *le Moine*, de Lewis) et dans le romantisme social (la mulâtresse Cécily, dans *les Mystères de Paris*). Il se déploie et se modifie dans la paralittérature tardive : c'est la « Buveuse de larmes » (de Pierre Decourcelle), Diana Monti dans *Judex*, Irma Vep, chef des *Vampires*, de Feuillade, la prétendue comtesse Goldi, fille Dolianine, dans *Satanas*, célèbre série des années vingt à thème d'espionnage dominant.

* * *

Malgré son organisation simpliste, l'idéologie revancharde produit certaines apories qu'il importe de dénouer. Ainsi, le patriotisme est un sentiment qui agite le cœur de tout Français bien né. C'est la valeur morale dont découle toutes les autres. Toutefois, le romancier ne peut se dissimuler que les Allemands manifestent un patriotisme contraire mais tout aussi intense. Devra-t-on au moins dans cette vertu commune, différente par son objet seulement, trouver quelque motif de ne pas les condamner en bloc, qui sait, de les admirer ?

Il importe d'opposer à cette possibilité une dissociation notionnelle crispée : « Un Allemand a le droit d'employer tous les moyens qu'il juge convenables même les plus répugnants, du moment qu'il n'agit que pour la grandeur et la prospérité de son pays... » (Bernède, p. 638.)

Le Français au contraire n'aura jamais besoin de forfaire à l'honneur pour servir sa patrie. La France au reste est le réceptacle de toutes les vertus et le monde entier reconnaît sa supériorité.

Il ne suffit pas en effet que le chauvinisme cocardier soit à « usage interne » ; il faut encore le faire partager à l'univers. La France n'est vraiment la France que parce que « ses ennemis même ne peuvent s'empêcher de l'aimer » (Bruant, I, p. 11).

Cette exigence nous conduit à une nouvelle aporie idéologique : puisque les Allemands sont l'ennemi, ils sont nécessairement abjects et haïssables, *mais*, qui mieux qu'un Allemand pourra témoigner de la grandeur de la France, si ses yeux viennent à se dessiller ? Il importe alors que le romancier en préserve au moins un qui montre comme une confuse appétition à la noblesse morale, pour en faire le témoin vraiment impartial de la perfection française et lui faire avouer la honte qu'il éprouve à n'être qu'un Allemand : « Profondément remué par l'attitude énergique et les nobles ripostes de l'officier français, il sentait naître en lui, avec une rapidité étrange, l'amer regret de n'être plus français. » (Bernède, p. 1020.)

L'empereur Guillaume II, en aparté, songeant à son adversaire majeur, le policier français Chantecoq, s'abandonne à murmurer : « C'est tout de même un rude homme et je ne puis m'empêcher de l'estimer. » (Bernède, p. 637.)

Guillaume II, qui se livre ici à de sombres réflexions, est d'ailleurs un personnage fréquemment campé dans le roman revanchard. Dans *Naz-en-l'air* (X), il devra subir, sans trouver grand-chose à répliquer, les reproches que lui assène un officier français qui s'est glissé jusqu'à lui ! Chez Marcel Allain comme chez Arthur Bernède, le pauvre homme, qui de ses fonctions conserve quelque sentiment de l'honneur, semble accablé de ne régner que sur une nation de fripouilles et d'imbéciles. Plutôt qu'odieux, le malheureux Hohenzollern apparaît comme ridicule.

Dans *Zigomar*, l'ennemi honorable sera incarné par un général japonais qui lui aussi rend hommage à la France au dénouement avec un lyrisme ampoulé :

> La France est sûre de sa force, sans jactance !... Elle ne se gonfle pas pour faire croire à son poids... Elle rit quand on découvre ses défauts... [Elle en a donc ?] parce qu'elle n'a pas à redouter qu'on trouve chez elle la fêlure du bronze... l'argile des pieds du colosse... et surtout la faiblesse du cœur... (Sazie, p. 370).

* * *

Faute de pouvoir décrire la revanche définitive dont on ne parle qu'avec « une indicible expression d'espérance » (Bernède, p. 1010), revanche qui mettra face à face les deux nations, le roman fait souvent affronter au dénouement le héros français et le traître allemand en un duel où malgré ses traîtrises, le traître est loyalement vaincu.

Touché, les yeux hagards, il prophétise dans le délire : « Oui, c'est fini, c'est fini... Oh ! ces tambours... ces clairons... la revanche ! C'est leur revanche... » (Bernède, p. 1021.)

De manière analogue, Aristide Bruant établit le rapport nécessaire entre l'intrigue et le fantasme belliqueux collectif : « Français et Allemands allaient s'affronter la rage au cœur et lutter dans l'ombre en attendant le jour prochain de l'éclatante revanche. » (II, p. 6.)

* * *

Le roman revanchard est le dernier degré de la dégradation et du grotesque odieux. Une série de thèses idéologiques, elles-mêmes élémentaires et pauvres, dépourvues de toute polysémie et de toute aptitude à la transformation, se trouvent délayées dans une séquence narrative peu originale où « l'inventivité » se réfugie dans certains traits du roman policier « à la Fregoli » (gadgets, déguisements, ruses...) On voit en quoi on peut légitimement ici parler de sous-littérature, simple reflet spéculaire d'une propagande dont nous ne sommes pas tenté de considérer avec attendrissement le roublard chauvinisme. Si la xénophobie semble de nos jours s'exprimer de plus subtile façon, le récit de Bernède en particulier préfigure les obsessions collectives du bourrage de crâne, entreprise idéologique dont les éléments les plus sots s'épanouissaient en France bien avant la guerre.

CHAPITRE III

RHÉTORIQUE ET STRUCTURES NARRATIVES
DE *FANTÔMAS*

Contemporain de Casque d'or, de l'affaire Steinheil, de la bande à Bonnot, le serial de Marcel Allain et Pierre Souvestre, *Fantômas*, fut publié chez Fayard entre 1910 et la guerre, dans la célèbre collection « à soixante-cinq centimes » lancée par Arthème Fayard II, en 1905.

Le trente-deuxième volume, *Fantômas est-il mort ?* (1914), semble clore le cycle ; mais, vers 1920, Marcel Allain, privé de son compagnon, Pierre Souvestre, qui lui avait été enlevé très banalement par la grippe en 1914, allait faire ressusciter le Maître de l'Effroi et donner carrière à de nouvelles aventures.

Postérieur à la réussite de *Chéri-Bibi* et d'*Arsène Lupin* mais antérieur aux *Vampires* de Feuillade, à *Zigomar* de Léon Sazie, le succès éclatant de *Fantômas* s'exprime d'emblée par le chiffre du tirage ; celui des 5 000 000 d'exemplaires vendus pour l'ensemble de la série par les seules éditions Fayard. Louis Feuillade devait, dès 1913, en produire une adaptation cinématographique.

Les volumes, d'environ trois cents pages chacun, étaient publiés originellement dans une édition économique, couverture en quadrichromie, papier grisâtre, tirage sur linotype, vendue non rognée, dans les boutiques à journaux.

Manifestation d'une « mythologie moderne », a-t-on prétendu, « au-delà de la mode, au-delà du goût » (André Breton), le succès populaire de *Fantômas* s'est doublé d'un succès intellectuel, depuis la *Société des Amis de Fantômas* jusqu'aux surréalistes. L'édition *ne varietur* publiée chez Laffont en 1960 en est l'expression ultime, contemporaine de la « massification » de la production littéraire. *Fantômas* s'y fige en un témoignage de la frénésie anodine et désuète de la *Belle Époque*[1].

Produit de marché, camelote culturelle pour les uns, expression de la « poésie du peuple » pour d'autres : il semble interdit d'échapper à ces condamnations ou à ces apologies peu critiques. Peut-on aujourd'hui dépasser les deux attitudes classiques qui ne cessent de s'opposer : l'une, conservatrice, attachée à préserver l'intégrité du champ littéraire menacé par l'ivraie feuilletonesque ; l'autre, instituant un terrorisme de la transgression, niant brutalement tout critère de valeur, attachée à exalter les « peintures idiotes, refrains niais... », égalant l'ultra-littéraire (Rimbaud, Lautréamont, Artaud) à l'infralittérature, en scotomisant toute production intermédiaire ? Cette dernière attitude, qu'il ne s'agit pas de condamner pour ses « outrances », est l'expression par antithèse des insuffisances de la première. Si l'objet de l'archéologie des sciences humaines est « l'histoire des à-côté et des marges » et par là celle de la « sous-littérature » (Michel Foucault), on peut espérer constituer un feuilleton comme *Fantômas* en un objet de science et, par exemple, en proposer une description typologique.

Généralités

Peut-on parler de *Fantômas* comme d'un tout ? À première vue, on a affaire à une quarantaine de romans qui s'enchaînent de façon lâche, où se retrouvent les mêmes protagonistes ; récit jamais commencé jamais achevé, où le procédé du *flight - and - pursuit* picaresque atteint son apogée en une cacophonie fracassante. Après chaque volume, on procède à une remise à zéro du « compteur fantômétrique ». On repart d'une situation d'introduction (trace de Fantômas perdue, aucun méfait en cours) et on se remet à compter les points.

Ce « Fantô-roman » perpétuel, cette syntaxe en ver solitaire, a d'illustres devanciers : des douze travaux d'Hercule (Fantômas est un Hercule noir) à *Rocambole* resté inachevé au quinzième volume (dans l'édition Fayard).

1. Cf. sur ce succès intellectuel : le jugement d'Apollinaire (dans le *Mercure de France*), « une occupation poétique du plus haut intérêt ». Jean Cocteau qui exalte, dans sa préface à *l'Histoire du roman policier* de M. Hoveyda « le lyrisme absurde et magnifique de *Fantômas* ». Cf. encore le *Journal de désintoxication*. Un recueil de poèmes d'un M. Moerman, intitulé *Fantômas* :
    « Fantômas qui êtes aux cieux,
        Sauvez la poésie. »
Il faudrait encore citer divers textes de Max Jacob, Paul Eluard, André Breton, Robert Desnos, bien sûr, des poèmes dans le numéro spécial (nº 88) de *la Tour de feu*...

C'est le paradoxe de ce type de *sérial* d'apparaître quasi intemporel à force d'accumuler les événements. C'est ce qui permet au narrateur, dans le trente-deuxième volume, après mille délits atroces du Maître de l'Effroi, de s'exclamer benoîtement : « Les derniers attentats de Fantômas avaient réellement dépassé la mesure ! »

Toutefois nous voudrions montrer que l'ensemble des volumes forme bien une totalité, fondée sur une logique des actions et une herméneutique élaborées. Les péripéties à tiroirs de *Fantômas* constituent un ensemble « étroitement cohérent » — le contraire d'une œuvre « ouverte » —, ensemble qui pourrait être le lieu d'une expérimentation des théories les plus formalisées de la syntagmatique narrative, notamment la morphologie du conte populaire de Propp. (Le présent chapitre n'offre qu'une approximation d'une telle formalisation.)

Il nous paraît absurde d'inclure *Fantômas*, comme le fait M. Hoveyda, dans le genre policier, « même si, dit-il, la peur y domine plus que l'énigme [2] ».

On pourrait parler d'un « roman d'énigme et de violence » qui présente toute la tortuosité du roman d'aventure, se déroule en une chronologie régulière, sauf de brefs « retours en arrière », mais offre dans le dénouement une reprise du déroulement, chronologie impliquant un passage du niveau de l'apparence à celui de la réalité.

Sphère fonctionnelle des actants

« Fantômas, Juve, Fandor ! Les trois noms se complètent... On ne peut citer l'un sans citer les autres [3]. »

Les personnages peuvent se définir par des sphères d'action bien circonscrites : le policier Juve est *le héros*, le journaliste Fandor, *l'aide du héros* (quoique, à l'occasion, ces rôles puissent être intervertis). Le juge d'instruction Fuzelier, le préfet de police, M. Havard, et d'autres personnages officiels s'inscrivent dans la sphère du *mandateur*. Fantômas et sa bande, sur laquelle on reviendra, disposent de l'aire d'action

---

2. Cf. Hoveyda, Fereydoun, *Histoire du roman policier*, Paris, Ed. du Pavillon, 1965. 262 p.
3. *Fantômas est-il ressuscité ?*, chap. I. Editions consultées : autant que faire se peut, c'est l'édition Fayard des années 1930 (in-16, couverture photo). Pour certains volumes il a fallu avoir recours à l'édition Rex (vers 1949, in-8°, couverture colorée) ou à l'édition en « livre de poche » d'après l'édition revue chez Pierre Laffont. On trouvera un essai de bibliographie, déjà très vaste, de Marcel Allain dans le numéro spécial de *la Tour de feu* qui lui était consacré (n° 88, décembre 1965).

du *mauvais* ; un autre groupe fonctionnel où se rencontrent évidemment d'innombrables figures est celui de *la victime*. Il faut surtout faire place entre ces groupes à trois personnages fonctionnellement équivoques : le chemineau Bouzille, la douce Hélène, fille du Maître de l'Épouvante, et la tragique maîtresse de Fantômas, Lady Beltham. Ces deux derniers personnages, doués de la même ubiquité, se complétant mutuellement, se trouvent plongés dans un débat de conscience permanent : leurs liens avec Fantômas font d'eux ses complices dans bien des cas, mais leur penchant naturel vers le bien — et, dans le cas d'Hélène, l'amour qu'elle porte à Jérôme Fandor — les amènent à limiter les conséquences des forfaits « fantômastiques » et à protéger les héros dans certaines circonstances.

D'autre part, ces actants sont également des « types » conventionnels. C'est ici surtout qu'on voit comment le roman populaire tend vers un maximum de figement comme vers son idéal. La concierge tendra à réaliser à la perfection son essence de concierge ; l'apache se voudra l'hypostase de l'idée platonicienne de l'Apache ; le vieux-serviteur-fidèle prétendra, dans son habitus, ses gestes, son langage, se conformer en tout point au « type » qu'il incarne. La règle peut se renverser : à un « type » répertorié correspond, dans l'ensemble des épisodes, un seul personnage. La femme-du-monde-victime-de-vols-et-de-chantages est incarnée dans Sonia Danidoff, qui présente par surcroît les traits convenus de la Princesse russe.

Toutefois, comme on le verra plus en détail, ce schéma actantiel est compliqué par un jeu de permutations. Tout d'abord en face d'un personnage qui prétend être Juve, on peut toujours se demander s'il ne s'agirait pas de Fantômas déguisé en Juve, ou encore de Juve déguisé en lui-même pour faire croire qu'il est un autre...

Juve peut être pris pour un complice de Fantômas et emprisonné comme tel ; Fantômas déguisé en bourgeois ou en policier peut faire arrêter un de ses complices pour détourner les soupçons de sa personne : autrement dit des échanges complexes de fonctions peuvent s'opérer à la faveur des déguisements, mystifications, ruses, quiproquos et complicités involontaires qui ponctuent l'action.

Fantômas

Il représente le dernier avatar, dans la littérature de consommation, du Satan de Milton. On pourrait retracer rapidement la filière de ses ancêtres. Au XVIIIe siècle, Cartouche, Mandrin, étaient devenus des héros du récit de colportage, volant, tuant, jusqu'au châtiment final. Le brigand tient son rôle conventionnel dans les romans des petits préromantiques comme Loaisel de Tréogate. Tandis que Schiller et Zschokke transforment le type en « bandit généreux », le méchant à l'état pur, défini tout entier par sa haine pour la société, se rencontre dans tous les romans noirs : Schedoni, chez Ann Radcliffe ; Han d'Islande ; Agobar, le Renégat, d'Arlincourt ; Céoli, le Monstre de Madame Bodin ; cent autres « anges déchus ».

Fantômas ne manque pas non plus de précurseurs dans le feuilleton même. Est-ce par hasard, si, cinquante ans auparavant, Xavier de Montépin, faisait dire au faussaire Raymond des *Enfers de Paris* : « Je suis le fantôme insaisissable que la police de Paris cherche partout, cherche sans cesse et qu'elle ne trouvera jamais !... J'ai cent visages et je porte cent noms », traçant ainsi un programme que le héros de Marcel Allain va suivre à la lettre [4] ?

Avec Fantômas, le héros satanique reprend sa place qu'il avait cédée au Vengeur prométhéen.

On peut voir dans ce renversement des valeurs, l'échec de cette idéologie de la réconciliation des classes sociales qui animait le roman populaire au XIXe siècle. Le banditisme redevient l'allié naturel de la misère et la violence pure fait une entrée fracassante dans le feuilleton. Fantômas est contemporain du terrorisme anarchiste de Bonnot et sa bande. Lui aussi mène « le grand combat de haine et de férocité à tout ce qui existe, qui vit, qui possède... ».

Il ne manquera pas d'imitateurs immédiats : Zigomar, le chef de la bande des Z (Léon Sazie) ; le Grand Vampire (Louis Feuillade). « Allons ! Allons ! Fantômas ! Pas de défaillance, pas de sentimentalité ! Poursuis ton œuvre de destruction, de vengeance, de haine [5]. »

Il suffit que le nom de Fantômas soit évoqué, pour que peu après on découvre qu'il trempe dans un crime ; il s'agit bien d'une *évocation*, comme on dirait de gens qui évoquent les esprits et les forcent à apparaître. Chaque récit semble illustrer l'adage vulgaire : « Quand on parle du loup, on voit sa queue... »

On a dit avec juste raison qu'il était partout et en tout lieu qu'il avait mille visages si besoin en était, on l'a surnommé l'Insaisissable.

---

4. Xavier de Montépin, *les Enfers de Paris*, I.
5. *Fantômas s'évade.*

Fantômas !... Ce n'était personne. C'était le Crime, la Rapine, l'Audace Malfaisante, le Génie du Mal, le Maître de l'Epouvante [6] !...

Fantômas est sans visage, c'est une silhouette entrevue, moulée dans son « maillot légendaire ». Juve lui-même, jamais, n'a vu son vrai visage, jamais il « n'a contemplé, fût-ce une seconde, ses véritables traits », jusqu'au jour où, dans le poste d'équipage du *Titanic* qui sombre, Fantômas lui révèle qu'il était son frère jumeau [7] !...

La série des *Fantômas* offre le triomphe, à tout le moins quantitatif, du mal sous toutes ses formes. « Il incarnera Thanatos, l'instinct de mort », dit P. Brochon.

Toutefois ce « Génie du crime » — qui serait plutôt le génie du petit bricolage criminel — rate la moitié de ses forfaits, ou du moins les commet à profit perdu. Qu'importe, du reste, puisque nul ne nous révélera jamais où il cache le produit de ses rapines et ce qu'il comptait en faire. Besogneux et sans cesse à l'affût d'une nouvelle affaire, il n'a pu s'entourer que de complices ignobles, obtus et calamiteux : le Bedeau — son principal lieutenant —, Fumier, Dégueulasse, Œil-de-bœuf, Adèle, le père Korn — troquet du quartier de la Goutte d'Or —, la mère Toulouche — vieillarde repoussante, fripière au marché aux puces —, Nalorgne et Pérousin — policiers marrons et complices d'occasion. La bande à Fantômas est composée de récidivistes minables, bien connus de la police, qui cependant ne sait comment venir à bout de cet homme qui se veut « l'adversaire de l'humanité tout entière [8] ».

Ce placide refus de toute vraisemblance dans l'activité criminelle nous montre combien nous sommes loin du roman policier ou de la « Série noire », avec quoi on a voulu faire le rapprochement. Plus que la violence nihiliste, cet onirisme qui mêle le burlesque et le vaudeville au sang et à la frénésie, fait de *Fantômas* une machine fascinante.

Juve

Juve ? « Un policier. Le Roi des Policiers [9]. » En réalité, le héros du bon droit ne ressemble en rien à ces policiers inductifs-déductifs à la

---

6. *Les Souliers du mort* (Rex), p. 4, et *Fantômas est-il ressuscité ? (Nouvelles Aventures...)*, chap. I.
7. Pourtant dans *la Guêpe rouge*, Fantômas, arrêté, est fiché anthropométriquement. Alors ?
8. *Fantômas s'évade*, p. 314.
9. *Ibid.*

Dupin. Intrépide et brouillon, poseur et phraseur, ingénieux ou littéralement aveugle selon les nécessités de l'action, il ne faut rien moins que l'enthousiasme de commande des auteurs — qui ne ratent pas une occasion de faire l'apologie de ses mérites —, pour qu'il conserve quelque crédibilité. Juve et Fandor alternent dans le rôle du *héros* et de *l'aide*, ce dédoublement permet de mener simultanément l'enquête dans deux directions différentes. Bien souvent la complication rocambolesque de la situation les fera se soupçonner mutuellement de trahir, et ils perdront un temps précieux à se justifier aux yeux l'un de l'autre.

À la poursuite d'un Fantômas qui échafaude des plans d'une telle subtilité qu'ils en deviennent impraticables, les deux héros font preuve d'un goût non moins pervers pour la complication. Jérôme Fandor est une des incarnations, parmi les plus odieuses, du journaliste-bien-français, cocoriquant, gouailleur, titi, « crâneur » ; son goût du « panache » exprime à sa manière la réaction nationale à la déculottée de 1870. Rouletabille ou Arsène Lupin nous avaient déjà préparé à ce type : le couple policier-journaliste allait devenir un élément obligé du récit d'aventures criminelles pour de nombreuses années.

Juve jouit vis-à-vis de ses chefs hiérarchiques d'une liberté de manœuvre inconnue. L'incompétence de la police officielle est devenue un axiome du roman policier dès le XIXe siècle : le lecteur s'identifie au brillant « outsider » qui défie la routine administrative. Quoique fonctionnaire de la préfecture, Juve enquêtera donc, en ne rendant de comptes à M. Havard, le préfet de police, qu'à la mesure de ses convenances. Celui-ci est par excellence le *mandateur*, mais les « sphères officielles » semblent ne pouvoir compter que sur Juve et être réduites à se lamenter sur les crimes accumulés du Maître de l'Effroi.

Lady Beltham, Hélène

Restent les deux grandes figures ambiguës : Lady Beltham, qui a pris en horreur « les actions affreuses de celui qu'elle aimait », et Hélène : « Hélène ! La fille de Fantômas ! Hélène ! La pure et douce enfant qui cependant était née du sang de ce monstre abominable [10]. »

Justicière-victime, poursuivante-poursuivie, elle est éternellement éloignée de Fandor par les plus éprouvantes fatalités ; leur poursuite burlesque illustre le vieux thème de complainte : « Il était deux enfants de roi... ».

---

10. *Fantômas prend sa revanche.*

Autour de ces pivots de l'action, se succèdent une quantité énorme de comparses et de victimes [11].

Règles et paradigmes

On pourrait songer à décrire d'abord des règles de comportements possibles des différents actants, règles régissant l'attribution et l'enchaînement des fonctions, ce que Roland Barthes nomme une *proaïrétique*.

Une des lois de la fantasmagorie narrative la plus évidente est que Fantômas ne peut tuer Juve ou Fandor, ni ceux-ci, Fantômas. La règle va de soi et régit l'enchaînement infini des épisodes ; toutefois, si Fantômas *rate* ses éternels poursuivants, ceux-ci se sont fixé pour but de le conduire à la guillotine et s'interdisent de faire justice eux-mêmes. Pierre Souvestre, en révélant que Juve et Fantômas étaient frères jumeaux *(Fantômas est-il mort ?)*, propose donc une justification tardive à cette situation.

Une autre règle du jeu, convention peu « vraisemblable » mais si fréquente dans le picaresque policier, est le refus des protagonistes de recourir aux ressources des pouvoirs publics. Un régiment d'artillerie saurait pourtant bien venir à bout de l'« Empereur du Crime » : « Pensait-il recourir à la police officielle ? La vérité était au contraire que pas un instant une idée aussi folle, aussi sotte pour tout dire, ne l'avait effleuré [12] ! »

Autre règle : celle de l'impossible face à face. L'occasion n'est presque jamais donnée aux défenseurs du droit de se trouver en face de Fantômas ; celui-ci attaque et disparaît : « Fantômas ! Ah ! Si le hasard dressait le Tortionnaire, le Roi de l'Épouvante, face à Fandor, le journaliste n'hésiterait pas !... Sang pour Sang ! Vie pour Vie ! Ce serait un duel farouche, désespéré... [13]. »

Au code proaïrétique, se combine un code *herméneutique* — prépondérant dans un type de récit fondé sur le leurre et l'énigme —, « l'ensemble des unités qui peuvent articuler de diverses manières une question et sa réponse [14] ».

Notons toutefois que le code proaïrétique régit le niveau des fonctions, le code herméneutique, le niveau de la narration, différence

---

11. *Le Policier Fantômas*, p. 8 et *Fantômas est-il ressuscité ? (Nouvelles Aventures...)*, p. 51.
12. *Fantômas en danger*, p. 182.
13. *Fantômas en danger*, p. 145.
14. Cf. Roland Barthes, *SZ* (Ed. du Seuil), p. 24.

particulièrement nette dans un texte où le dénouement sert à rétablir
l'enchaînement logique des motifs.

Une question permanente court à travers tous les moments du
récit : « Qui est Fantômas, parmi les individus qui nous sont présentés ? » Toutefois, la distance entre la question et sa réponse n'est
comblée par aucun principe d'interprétation, puisqu'au départ aucune
condition d'âge, de sexe, de physionomie, d'habitus ne doit être remplie
par Fantômas dans ses avatars successifs. Le démasquage final de chaque
épisode constitue à la fois une des « scènes à faire » et entraîne un
renversement des fonctions (l'honnête commerçant était Fantômas ; des
actes apparemment insignifiants prennent une signification criminelle ;
l'ensemble de l'action est revu sous un nouvel éclairage). Dans le roman
populaire le déchiffrage herméneutique est en général explicitement
marqué par des interrogations oratoires du narrateur : « Que voulait-on
faire de la malheureuse ? » — « Qu'était devenu le Maître de l'Épouvante [15] ? », etc.

Fantômas, dispose en outre de *codes sémiologiques* sans équivoque ; c'est le cas de dire que le corps « représente une écriture peut-être
indélébile » ; les regards, les physionomies, l'aspect corporel renvoient à
des paradigmes socio-psychologiques :

Le visage déjà vu qui semblait marqué par tous les stigmates du
vice et du crime !

À la façon des officiers ministériels d'autrefois, M. Moche portait
le long de ses joues des favoris épais et courts [16].

Il va de soi qu'on pourrait multiplier les exemples ; ou mieux
encore, la sémiologie conventionnelle des romans constitue à elle seule
tout un domaine de recherche.

Le niveau des fonctions

Une analyse fonctionnelle consiste *a priori* à relever les unités narratives cardinales, à extraire des variables les invariants fondamentaux
dans un corpus donné et à exposer les lois d'enchaînement et de transformation de ces fonctions.

On se trouve devant un petit nombre de fonctions de base. Il appartient à l'auteur de montrer le maximum d'ingéniosité dans les variations
qu'il leur fait subir.

---

15. *Le Fiacre de Fantômas,* chap. II, pour les deux citations.
16. *Fantômas s'évade,* p. 23 et *le Policier Fantômas,* p. 16.

Le roman s'ouvre d'ordinaire sur une séquence du type :

I — forfait commis/évocation de Fantômas/ preuve présomptive ;

Variante :

II — phénomène inexplicable/évocation de Fantômas/**entreprise d'une enquête.**

Ou bien, d'emblée, les premières séquences introduisent le mécanisme du quiproquo et sa variante policière, l'erreur judiciaire :

III — forfait commis/erreur sur les indices/innocent accusé [17].

D'autres forfaits viennent relancer l'action dans le cours du récit de sorte que la triade III peut se répéter : dans *Fantômas se venge*, le « Génie du Crime », qui s'est fait des gants de la peau de l'infortuné Serge Dollon, signe tous ses crimes des empreintes du mort. On voit où réside ici l'inventivité des narrateurs, puisque de telles séquences sont en contradiction avec le fait que le décès du coupable présumé a été reconnu — même si le cadavre a disparu.

Autre variante :

IV — forfait commis par un autre criminel/Fantômas l'intercepte/ Fantômas filoute un comparse [18].

L'initiative appartient ensuite aux « bons », qui entreprennent des recherches :

V — enquête/indices découverts/soupçons.

Il s'agit de séquences répondant à la question essentielle : « Est-ce Fantômas qui a fait le coup ? » (sous quel déguisement ?) ou à des questions accessoires : « Qui était le cadavre ? » — « Que voulait Fantômas ? » L'opposition actantielle entre la police « officielle » et Juve et Fandor entraîne fréquemment :

III — forfait commis/erreur sur les indices/innocent accusé ;

VI — innocent accusé/présomption d'innocence/contre-enquête à effectuer ;

VII — contre-enquête entreprise/indice contradictoire/innocent disculpé (forfait attribué à Fantômas).

---

17. Cf. par exemple, *Fantômas se venge*, chap. I.
18. Cf. par exemple, *le Policier Fantômas*, chap. I.

Logiquement, l'initiative retourne au vilain, qui mis au courant de ce que l'enquête lui réserve, en vient, par exemple, à considérer qu'il est temps de supprimer (ou d'intimider) les héros :

VIII — attaque du héros/héros en danger/héros tiré du danger [19].

D'autre part, il y a toujours des cadavres encombrants, des indices mal dissimulés, des témoins qui peuvent parler :

IX — dissimuler les preuves/forfait commis/échec ou succès.

Mais tout ce déroulement est compliqué par le mécanisme de transformation des fonctions fondé sur : 1. le quiproquo (ou l'erreur judiciaire) ; 2. les déguisements des personnages ; 3. les mystifications criminelles (maquillage d'indices ou de cadavres).

On a un premier exemple du passage du niveau de l'apparence à celui de la réalité dans la séquence complexe III-VI-VII.

On aura toutes sortes de macabres quiproquos :

X — cadavre non identifié/erreurs sur les indices/cadavre cru celui d'un allié (Juve si Fandor est l'acteur principal, Fandor si c'est Juve ; ou Hélène, ou Lady Beltham) ;

Ou encore *variante :*

III — forfait commis/erreur sur les indices/*héros* accusé.

Ailleurs, Juve, sous la personnalité d'un pauvre d'esprit, Cranajour, s'est introduit dans la « bande des Chiffres ». Il sauve Fandor à qui on va faire un mauvais parti *(Fantômas se venge,* chap. V). Si l'on devine le rôle joué par le prétendu Cranajour, nous avons :

XI — *héros* enquête/*héros* en danger/*aide* sauve le héros.

Mais il y a une lecture littérale de la séquence, puisque le narrateur ne nous a pas révélé l'identité de Cranajour :

XI — (séquence apparente) : *héros* enquête/*héros* en danger/ maladresse du *mauvais* dont profite le héros.

Ces renversements fonctionnels sont fondés sur des oppositions binaires du type :

— hypothèse officielle *v.* hypothèse de Juve et Fandor ;

— innocent accusé *v.* Fantômas démasqué.

---

19. Cf. par exemple, *le Policier Fantômas,* chap. VI.

Avec pour variantes importantes :
— suicide *v.* Crime de Fantômas ;
— héros accusé *v.* Fantômas accusé.

Toujours dans *Une ruse de Fantômas*, nous avons ainsi un jeu complexe d'échange de personnalités et de ... statut ontologique, puisque, Juve, cru mort, est en réalité Cranajour bien vivant, tandis que Serge Dollon, réellement mort mais cru vivant par la police est en réalité Fantômas bien vivant, ganté de « peau de cadavre ». La principale figure de transformation repose sur des déguisements perpétuels des personnages. C'est là une figure narrative avant d'être le moins du monde un motif vraisemblable. C'est aussi un *topos* du roman populaire. Il est vrai qu'il ne manque pas de changements de personnalité dont les annales du crime ont conservé le souvenir, depuis le fameux Coignard, incarné en comte de Sainte-Hélène. On se déguise beaucoup dans *les Mystères de Paris*, dans les *Mystères de Londres* ; Rocambole subit cent incarnations successives et Mathias Sandorf ressuscite en Docteur Antékirtt. Chéri-Bibi a eu recours à la chirurgie (esthétique ?) pour prendre le visage du marquis du Touchais. Quant à Arsène Lupin : « On ne reconnaît pas Lupin. Il a une science du maquillage et de la transformation qui le rend méconnaissable [20]. » Fantômas revêt fréquemment plusieurs personnalités au cours d'un récit et se transforme avec la prestesse et l'art d'un Fregoli. À l'occasion, le narrateur nous prend en pitié et découvre son secret : « Le père Mathurin n'était autre que Fantômas [21]. » Mais une heure plus tard, Fantômas réapparaît en hindou !

Les actants principaux échangent leurs personnalités. Fantômas prend la place de Juve ; Fandor celle de Fantômas... [22]. Hélène se déguise au point de n'être reconnue ni de Fandor, son amant, ni de Fantômas, son père.

En fait, le nombre des déguisements compense le petit nombre des actants. Nulle condition, du reste, ne doit être réalisée ; n'importe qui peut être n'importe qui : « Ce vieillard en effet qui désormais se reposait au sommet de Montmartre, n'était autre que, fort bien grimé, le journaliste Jérôme Fandor [23]. »

---

20. *Edith au cou de cygne.*
21. *Fantômas est-il mort ?*, p. 161.
22. Le premier cas dans *Fantômas s'évade*, p. 89 ; le second dans *Fantômas en danger*, p. 209.
23. *La Guêpe rouge* (Rex), p. 22.

Les séquences finales des épisodes seraient, dès lors, du type général :

XII — Fantômas encerclé/Fantomas démasqué/Fantômas arrêté ;

XIII — Fantômas arrêté/ruse suprême de Fantômas/Fantômas s'échappe ;

XIV — Évasion de Fantômas/décision de continuer sa poursuite/ nouvel épisode.

« — Alors, petit, conclut le policier, passons l'éponge et repartons à la poursuite de Fantômas ! Je te dis que la lutte ne fait que commencer [24]. »

Quoique lacunaire, l'enchaînement des séquences qui précèdent devrait donner une idée des principaux mécanismes en œuvre. Sur ce schéma, des « images » surréalistes viennent s'imposer. Le mur-qui-saigne, parce qu'on a dissimulé un cadavre dedans, correspondrait, par exemple, à la fonction IX.

Raymond Queneau a réuni, dans *Bâtons, chiffres et lettres*, une statistique des crimes de Fantômas : assassinats, vols, escroqueries, explosions, attentats, chantages, séquestrations, pillages, coups et blessures et petits délits innombrables ; c'est ici surtout que l'imagination démoniaque des auteurs se donne libre cours.

On pourrait relever également un certain nombre de *leitmotive*, qui font partie du matériel narratif. Citons parmi les scènes les plus complaisamment développées *l'Horreur de la victime*, ainsi, de la malheureuse Raymonde, entourée des corps partiellement dépecés et des squelettes des victimes antérieures *(le Fiacre de Fantômas)*. Les états psychologiques paroxystiques appellent un vocabulaire adéquat :

haletant... frémissant... un cri de terreur... blémissant... sinistre pressentiment... fou de colère... les yeux hagards... une terreur subite... une crainte effroyable... suffoquant d'épouvante... hurlement d'épouvante... frissonner... comme foudroyé... [25].

Autre scène à faire, le débat de conscience, la « tempête sous un crâne », à laquelle Hélène ou Lady Beltham sont fréquemment en proie. La *soirée crapuleuse des complices de Fantômas dans un bouge* sert souvent de motif d'introduction.

---

24. *Fantômas se venge*, p. 390, dernier chapitre.
25. *Le Bouquet tragique* (Rex) [*le Bouquet de Fantômas*], p. 5.

Un des lieux communs auquel les auteurs semblent particulièrement attachés, c'est le thème de la *signature de Fantômas* :

> C'était une carte de visite ; sur cette carte, tracé à l'encre rouge (!)
> ce seul nom, qui signifiait tant de chose [*sic*] et dispensait Fandor
> de l'articuler (!) « Fantômas ! » [26].

Tracé à l'encre rouge. Remarquez bien ! Les millions de Fantômas
ne lui ont pas encore permis de s'offrir une carte de visite imprimée.
On l'imagine aisément au plus profond de son repaire, armé d'une
petite bouteille d'encre et d'une plume sergent-major, calligraphiant
son nom sur des morceaux de bristol.

Niveau de la narration

Fantômas est un roman « Dieu-le-Père ». Le narrateur, omniscient
et omniprésent, dévoile ou dissimule selon les nécessités les tenants et
les aboutissants des événements. Il plante le décor, commente les actions,
apprécie les conduites, lance des aphorismes et des épiphonèmes, ponctue
le récit de ses interventions, dont le type le plus fréquent est l'interrogation oratoire :

> Qu'était devenu le maître de l'épouvante ?
>
> Fantômas était-il désormais infirme ; aveugle ?...
>
> Qu'avait-il dû se passer ? et comment avait-on pris l'argent dans
> ce portefeuille [27] ?

À ces interrogations oratoires, qui souvent viennent clore un chapitre, correspond un saut narratif ou une lacune, vieille ficelle du
feuilleton :

> Juve allait-il pouvoir éviter d'être repris, allait-on le rejeter à
> nouveau dans son terrible cabanon ?...
>
> CHAPITRE X
>
> Ce même jour vers onze heures, l'asile de Sainte-Anne offrait le
> plus gracieux spectacle,... [28].

En général, en effet, la narration se trouve interrompue aux articulations les plus passionnantes des séquences.

---

26. *Le Bouquet tragique*, p. 12.
27. Respectivement : *le Fiacre de Fantômas*, chap. III, p. 10 ; *le Bouquet tragique*,
    chap. I ; *ibid.*, p. 10.
28. *Fantômas s'évade*, chap. IX et X.

Un certain nombre de procédés hérités du XIXᵉ siècle, tel le mythe de *l'observation hypothétique*, sont intégrés par les narrateurs comme des automatismes :

> Quiconque eût pu voir son visage tandis qu'il parlait ainsi eut été effrayé de son ricanement sinistre, de sa grimace hideuse...
> Quiconque aurait entendu cet extraordinaire monologue... [29].

Et surtout le « truc » le plus typique du roman populaire, *l'identification différée* :

> ... Sur l'un des trottoirs, marchant à pas lents, tête basse, songeur, un homme tout jeune, vingt-cinq ans peut-être, la mine intelligente mais l'air préoccupé, avançait. [p. 17]
> ....
> Ce jeune homme, c'était Jérôme Fandor [p. 18] [30].

> Quelqu'un venait de se dresser devant eux, un cavalier à la silhouette extraordinairement tragique, à l'aspect formidable (...) Fantômas [31].

> Deux heures avant les tragiques événements qui s'étaient succédé sur l'aérodrome de Boulogne sur Mer, quelqu'un — une femme — se dirigeait précisément vers cet aérodrome. Elle arrivait de Paris. Cette femme, c'était Firmaine [32].

Sans cesse Allain et Souvestre, par une application satanique de la méthode Coué, tentent de nous communiquer le frisson d'horreur qui saisit jusqu'à des héros sans peur comme le sont Juve et Fandor :

> Fantômas !...
> Les trois syllabes évoquaient de l'effroi, jetaient immédiatement comme une note de terreur, comme un bruit d'épouvante [33].

> Fantômas ! Lentement, seul, dans une pièce sombre, quand le feu baisse, quand la nuit vient, quand vous avez fermé vos serrures à triple tour, prononcez ces trois syllabes ? Elles évoquent le mystère, la peur [34] !

> ... le nom lugubre, le nom d'horreur, le nom de sang, le nom de mort... Fantômas... Fantômas...

---

29. *Fantômas se venge*, chap. IX, et *le Policier Fantômas*, p. 287.
30. *Le Policier Fantômas*, p. 17-18.
31. *Fantômas s'évade*, p. 297.
32. *Le Bouquet tragique*, p. 3.
33. *Fantômas accuse*, p. 16.
34. *Nouvelles Aventures... [Fantômas est-il ressuscité ?]*, I, p. 2.

Procédés de style

Les critiques de *Fantômas* ont fait aussi bien l'éloge :

— de son style : « *The style is simplicity itself and precision* » ;

— que de son absence de style : « On peut dire que chez Marcel Allain, l'absence de style, c'est l'homme [35]. »

En fait il y a un style ou une phraséologie de *Fantômas*, nés de la symbiose entre le développement du feuilleton sous le second Empire et la naissance du journalisme à sensation (cf., par exemple, Timothée Trimm). Au point que l'on peut se demander si le style du feuilleton n'apparaît pas comme l'idéal rhétorique du journalisme de masse aux effets *soulignés* (cet emploi de l'adjectif est justement apparu dans les colonnes du *Matin* ou du *Petit Journal*).

Ce serait surtout vrai pour un certain style du reportage, bien vivace en 1910, qui ne vise certes pas à la rapidité, la « cursivité à l'américaine » et dont l'emphase figée et parfois burlesque prétend mimer le produit « littéraire » prestigieux. Ce style vit sur un grand nombre de clichés et de procédés topiques. Les antonomases les plus conventionnelles y abondent : la mort n'est autre que « la sinistre camarde [36] ». La justice y devient « Thémis », l'Angleterre, « la verte Albion », etc. L'automatisme dérivé de l'emploi du dictaphone par les deux auteurs accumule les syntagmes figés : « Une grâce et un charme qui lui composaient ce qu'on est convenu d'appeler un port de reine... [37]. »

Les métaphores convenues abondent et les auteurs les déploient à l'occasion en une remotivation métaphorique, sorte d'acte manqué révélateur. « ... il *frisait* la soixantaine mais portait gaillardement le *poids* des ans qui avaient *neigé* sur sa chevelure bouclée [38]. » [*Nous soulignons.*]

L'inversion du prédicat est une manière d'atteindre à bon compte une certaine solennité : « Bien vaine, en effet, était la manœuvre de la pauvre Raymonde... [39]. »

La verbosité et l'enflure se manifestent à tout moment dans le procédé de la réduplication pléonastique :

C'est un gamin, un gosse...

Tous deux avaient compris que l'instant fatal était proche, que l'heure suprême allait sonner.

---

35. J.W. Malin, *Surrealism in the French Theater*, Texas University, 1961, p. 24 et J. Duperray, dans *la Tour de feu*, n° 88 (1965), p. 24.
36. *Fantômas accuse*, p. 19.
37. *Fantômas prend sa revanche*, p. 38.
38. *Fantômas* [n° 1], p. 313 (Livre de poche).
39. *Le Fiacre de Fantômas*, II, p. 9.

Il s'était efforcé de lui nuire et de lui faire du tort.

C'était une chaussure, un soulier [40].

Cela se combine à l'occasion avec l'abus du haut degré :

L'attention la plus extrême et l'étonnement le plus profond.

Dès lors, ce fut le désordre le plus absolu, l'animation la plus folle [41].

Il suffit d'étudier quelque peu la fonction épithète pour apprécier les effets de cette surenchère laborieuse :

Figure-toi qu'il se passe à Paris, en plein Paris, quelque chose d'absolument invraisemblable, d'absolument sérieux, de rigoureusement incompréhensible, et j'ajoute d'inquiétant.

M. Chapelard (...) n'était plus qu'un cadavre *hideux* aux traits *crispés* dans le rictus *effarant* d'une agonie *indescriptible* [42].

Épithètes qui finissent elles-mêmes par avoir besoin d'être étayées ou renforcées :

Natacha était, dans toute l'acception des mots, une superbe créature.

Un contretemps puérilement enfantin [43].

Les épithètes de natures antéposées s'accumulent : « horrible situation », « infortunée victime », « implacables adversaires », « sinistres pressentiments », « salutaire frayeur », « folles audaces »...

Un adjectif me semble particulièrement typique, de ce langage journalistique : c'est l'emploi de *tragique* appliqué à des êtres, des lieux ou des objets.

Les journaux du temps parlaient de la bande à Bonnot comme des « bandits tragiques ».

Ce ne seront, dans *Fantômas,* qu' « appartement tragique », « tragique demeure », « moulin tragique », « couteau tragique », « tragique spectacle », « autobus tragique » ; en ce tic se résume, il me semble, tout un style de faits divers.

Si conventionnel que soit le style du narrateur, il ne le dispute en rien au langage des dialogues. Il y a une stylisation du langage parlé qui, à ma connaissance, n'a jamais été étudiée de près. On pourrait analyser les traits ordinaires qui caractérisent le dialogue amoureux, le monologue du désespéré, la conversation mondaine : « Toujours con-

---

40. *Le Bouquet tragique,* p. 15 ; d⁰, p. 7 ; d⁰, p. 14 ; d⁰, p. 14.
41. *Ibid.,* p. 13 et 10.
42. *Le Fiacre de Fantômas,* chap. III et chap. XIV.
43. *Fantômas accuse,* p. 34, et *Fantômas prend sa revanche,* p. 8.

tent, docteur, de vos études ? Et toujours mondain par-dessus le marché ?
Peste ! Mes compliments ! Vous dîniez, ce soir, avec une bien jolie
femme !... [44]. »

Un développement topique du roman social au XIXe siècle était
la leçon donnée par le narrateur sur l'argot. Les chapitres des *Misérables*
sur ce thème ne sont qu'un maillon d'une longue tradition dont Eugène
Sue dans les *Mystères de Paris* est un des initiateurs. J'avancerais la
thèse selon laquelle le roman-feuilleton a eu ici un rôle prépondérant :
il a favorisé la pénétration dans le « français populaire » et le « français
familier» de ce qu'on nommait encore vers 1830 l'argot des malfaiteurs [45].

Mais l'argot, ce langage insaisissable par excellence, est lui aussi
devenu depuis longtemps un argot romanesque conventionnel et fade.

De même, on relèverait un langage concierge parfaitement artificiel
(« collidor », « au cintième »), un patois villageois molièresque
(— C'est y qu'c'est toué, Batisse ? »), etc.

La ponctuation est chargée de transmettre des indications psychologiques. Le dialogue hachuré de points d'exclamation, d'interrogation,
de suspension prétend trahir d'une manière viscérale et sans équivoque
les atroces tourments qui dévorent les personnages.

Il faut dire enfin le rôle que le balisage des prises de parole dans
le roman balzacien a joué dans l'inflation des verbes déclaratifs en littérature : ce ne sont que « grommella-t-il », « suffoqua-t-il », « protesta-t-
il », « proféra-t-il », « articula-t-il », « râla-t-il » ; les auteurs en ont à leur
disposition une bonne cinquantaine et les plus inattendus.

L'imparfait de rupture

Imbs nomme « imparfait de rupture » ce que d'autres ont appelé
plus obscurément « imparfait pittoresque ». L'imparfait de rupture a
une fonction de point d'orgue ; il sert à souligner un moment particulièrement pathétique, dans un récit au passé simple : « Une demi-heure
après, Roger remettait à Jacqueline (...) le petit Jean (...) qui se
réfugiait tout joyeux dans les bras maternels [46]. »

Cette nuance d'emploi apparaît dans le roman au cours du XIXe
siècle et se distingue aisément de l'imparfait d'habitude. Or, près de

---

44. *Le Bouquet tragique*, 18.
45. C'est dans les *Mémoires de Vidocq*, dont on ne dira assez le rôle dans la naissance de la littérature populaire, qu'on rencontre pour la première fois cette
« théorie » de l'argot.
46. L. Feuillade, *Judex*, p. 72 ; cf. J. Lemaître : « Tout réussissait à Racine. A vingt-
cinq ans, il *entrait* dans la gloire.»

50% des formes verbales dans *Fantômas* sont des imparfaits. Le trémolo permanent conduit à l'imparfait de rupture généralisé :

> Quelques minutes après, le directeur de *Paris-Galeries* quittait ses magasins.
>
> Le bandit Bec-de-Gaz qui s'entretenait avec Œil-de-Bœuf, son digne acolyte, tapait d'un poing furibond sur la petite table du bistrot... Mais bientôt Bec-de-Gaz s'interrompait... [47].

Conclusion

Fantômas nous apparaît comme un ensemble issu d'une combinatoire rigoureuse de séquences narratives identiques soumises à un jeu de transformations lié aux thèmes du double, du déguisement et du quiproquo, qui rend difficile une description fonctionnelle univoque des actants. (Il faut mettre à part le premier volume de la série, le seul qui ait été « écrit », dont la structure est fondée sur une herméneutique classique du type « roman policier ».)

Le « secret » du succès de *Fantômas*, si secret il y a, nous semble dû à ce qu'il offre une extrême *inventivité* dans une extrême *répétitivité*, s'il est permis d'utiliser ici deux termes d'allure phrénologique. L'analyse séquentielle nous a révélé un jeu subtil de variations systématiques qui ne rend pas compte de ce qui fait le mérite le plus souvent allégué du *serial* : sa frénésie imaginative.

Au niveau de l'enchaînement des séquences, l'emballement rocambolesque se laisse réduire, en effet, à une grammaire rigoureusement prévisible. Mais le schéma fonctionnel apparaît comme un *moule* que viennent combler les « idées » joyeusement délirantes d'Allain et Souvestre : des gants en peau de cadavre dont se sert Fantômas pour laisser derrière lui les empreintes digitales d'un mort, au vitriol substitué au parfum dans un vaporisateur, le « Génie du Crime », fait preuve d'une ingéniosité stupéfiante. Le policier Juve ne lui cède en rien ; avec lui le *gadget* prend place dans la littérature de masse, de la manchette à rétroviseur pour précéder les gens pris en filature, à la ceinture à picots pour se protéger des boas. Manchette à rétroviseur, ceinture à picots, cela fait penser à certaine statue en baleines de corset circulant sur des rails en mou de veau. Le « procédé » rousselien naîtrait-il dans le feuilleton ? Porteur de cigarettes à la cheddite et de boutons de gilet explosifs, Juve, à l'instar de James Bond, est un arsenal ambulant. Mais il ne se laisse pas asservir par le gadget qu'il renouvelle avec la passion d'un petit bricoleur.

---

47. *Le Fiacre de Fantômas*, chap. I et II.

C'est peut-être donner dans une psychologie du public un peu sommaire, mais il me semble que c'est l'équilibre qu'ont trouvé les auteurs entre la répétition d'une grammaire narrative et l'inattendu des motifs qui a assuré le succès de l'entreprise — outre la vision du monde manichéenne et frénétique qui s'y trouve développée. Nul ne sous-estimera le rôle que joue la répétition dans la vie psychique. *Fantômas*, dans son déroulement itératif et baroque, est analogue à ces « histoires continuées » qui font partie de l'étiologie des névroses. Le lecteur s'abandonne au flux d'événements à la fois surprenants et prévisibles ou les *déplacements* et les *condensations* du rêve interviennent sans cesse pour nourrir une trame d'énigme policière triviale. On pourrait parler de paresse ici, mais il me semble que cette sorte de paresse a quelque chose à faire avec la nature profonde de la lecture comme expérience psychique. On ne peut séparer le contenu sociologique apparent de *Fantômas* (apparition à un moment de l'histoire sociale d'un contre-héros noir, en rupture avec les redresseurs de torts de la période antérieure, etc.,) de cette rhétorique narrative et de ses effets [48].

---

48. Voir la liste chronologique des romans, annexe B de la bibliographie.

BIBLIOGRAPHIE D'ENSEMBLE DES ÉTUDES
SUR LA PARALITTÉRATURE

La présente bibliographie est aussi complète que possible dans sa première partie relative aux publications significatives en langue française ; elle a un caractère plus sélectif en ce qui concerne les écrits en langues étrangères (surtout l'allemand et l'anglais).

Nous ne retenons les ouvrages et articles sur des *auteurs* paralittéraires particuliers que dans la mesure où ces travaux semblent avoir une portée plus étendue.

Nous nous sommes limité à quelques titres en ce qui touche à deux genres particuliers : le roman noir et le mélodrame. Il y a de nombreux travaux classiques d'érudition et d'analyse sur ces deux traditions qui sont à la frange de la littérature « reconnue ». Enfin nous ne relevons pas la plupart des travaux qui appartiennent à des domaines connexes : théorie de l'utopie (en relation avec la science-fiction), histoire de la presse et des communications de masse, poétique du récit fantastique, études sur la littérature pour enfants, etc.

I — PUBLICATIONS EN LANGUE FRANÇAISE

ABRAHAM, Pierre *et al.*, « Entretien sur la science-fiction », *Europe,* n° 35, 1957, p. 139-140.

ADELMANN, Anouk, *Chansons à vendre,* Paris, Cujas, 1967.

AMIS, Kingsley, *l'Univers de la science-fiction,* Paris, Payot, 1960. (Traduit de l'anglais ; voir la 2e partie.)

ARNAUD, Noël, « l'Art de faire peur », *Critique,* novembre-décembre 1960.

ASSIER, Alexandre, *la Bibliothèque bleue de Troyes (...) 1600-1863,* Paris, Champion, 1874.

ASTORG, B. d', « Du roman d'anticipation », *Esprit,* vol. XXI, n° 202, 1953, p. 657-673.

ATKINSON, Nora, *Eugène Sue et le roman feuilleton,* Nemours, Lesot, 1929.

AUBRION, Michel, « Jean Ray de-la-Nuit », *Revue générale,* Bruxelles, n° 2, 1966. (Voir aussi : « le Fantastique populaire », *ibid.,* mai 1967.)

— « la Science-fiction et l'avenir de l'homme », *Revue générale,* n° 5, 1970, p. 1-33.

AUBRY, Jean, « Des origines et de quelques aspects du roman moderne d'hypothèse scientifique », *la Revue des idées,* 15 décembre 1906, p. 945-953.

AUCLAIR, Marcelle, « la Presse du cœur, défi à la raison », *Cahiers rationalistes,* n° 142, novembre 1954, p. 9-12.

AVELINE, Claude, « Double note sur le roman policier », postface à *la Double Mort de Frédéric Belot,* Paris, Emile-Paul, 1947.

AVELINE, Claude, « Le roman policier est-il un genre littéraire ? », *Revue des conférences en Orient*, vol. XI, n° 5, mai 1947, p. 239-247.

« Aventure et anticipation », *Bulletin du séminaire de littérature générale*, Bordeaux, n° 4, 1955.

Bande dessinée et figuration narrative. Histoire. Esthétique. Production et sociologie (...), Paris, Musée des arts décoratifs, 1967. (Quelques travaux importants sur la bande dessinée sont intégrés à la présente bibliographie « par acquis de conscience » et sans vouloir entrer dans le débat relatif à son statut.)

BARIBEAU, Colette, *Harry Dickson : une combinatoire narrative*, Montréal, McGill University, thèse, 1971.

BAUDIN, Henri, *la Science-fiction*, Paris, Bordas, 1971.

BAZIN, René, « le Roman populaire », *Questions littéraires et sociales*, Paris, Calmann-Lévy, 1906, p. 77-110.

BEAUMONT, Germaine, « Au rendez-vous des vampires », *les Nouvelles littéraires*, n° 2103, 1966, p. 4.

BÉCOURT, Daniel, « À propos des livres contraires aux bonnes mœurs », *Bibliographie de la France* (2e partie : Chronique), 13 janvier 1956.

BELLOTEAU, J., *la Perception du message littéraire de Lartéguy et de Chabrol chez les lecteurs de la banlieue de Bordeaux*, Bordeaux, mémoire de T. E. R., s. d.

BENAYOUN, Robert, *le Ballon dans la bande dessinée. Vroom. Tchac. Zowie*, Paris Balland, 1968.

BERGIER, Jacques, *voir à* « Littérature populaire ».

— *Admirations*, Paris, C. Bourgois, 1970. (Essais sur la science-fiction notamment.)

BLANCHARD, G., *les Bandes dessinées. Histoire des histoires en images de la préhistoire à nos jours*, Verviers, Gérard, et Paris, l'Inter, 1969.

BLANCHOT, Maurice, « le Bon usage de la science-fiction », *NRF*, vol. VII, n° 73, 1959, p. 91-100.

BOILEAU, Pierre, « l'Art du roman policier », *Revue des Deux Mondes*, 15 juillet 1951.

— *voir à* NARCEJAC, Thomas.

BOLLÈME, Geneviève, *les Almanachs populaires aux XVIIe et XVIIIe siècles*, La Haye, Mouton, 1969.

— *la Bibliothèque bleue, la littérature populaire en France*, Paris, Julliard, « Archives », 1971.

— « Littérature populaire et littérature de colportage au XVIIIe siècle », *Livre et société dans la France du XVIIIe siècle*, La Haye, Mouton, 1965, p. 61-93.

BONET, Pierre, *Revendications et sentiments des classes laborieuses à travers les chansons de Montéhus*, Paris, Sorbonne, 1968, mémoire dactylographié.

BORDES, François, « Science-fiction et préhistoire », *Satellite*, Paris, n° 16, avril 1959.

BORY, Jean-Louis, « Autour du monstre », *Mercure de France*, n° 343, 1961, p. 216-240.

— *Eugène Sue, le roi du roman populaire*, Paris, Hachette, 1962.

— « Le roman populaire aime les mythes », *les Lettres nouvelles*, n° 9, décembre 1960, p. 135-142.

— *Tout feu, tout flamme (Musique, II)*, Paris, Julliard, 1966. (Essais sur Eugène Sue et le roman populaire au XIXe siècle.)

— « Une cure de Zévaco », *les Nouvelles littéraires*, 21 mai 1970, p. 1 et 6.

BOUCHARD, Philippe, « la Presse du cœur », *Esprit*, vol. IX, septembre 1953.

BRIDENNE, Jean-Jacques, *la Littérature française d'imagination scientifique*, Paris, Dassonville, 1950. (Cf. aussi sa thèse, Lille, 1953.)

BROCHON, Pierre, *la Chanson sociale de Béranger à Brassens*, Paris, Editions ouvrières, 1961.

— « De la philosophie des lumières aux livres populaires », *la Pensée*, Paris, n⁰ 63, 1955.

— « Georges Sand et la « littérature du cœur », *Europe*, n⁰ 102-103, 1954.

— *le Livre de colportage en France depuis le XVIᵉ siècle*, Paris, Gründ, 1954. (Voir aussi la notice de P. B. sur ce sujet dans *Histoire des littératures*, III, Paris, Gallimard, 1958.)

— « la Littérature populaire et son public », *Communications*, n⁰ 1, 1961.

— *le Pamphlet du pauvre*, Paris, Editions sociales, 1957. (Sur la chanson populaire politique.)

BUTOR, Michel, « la Crise de croissance de la science-fiction », *Essais sur les modernes*, Paris, Gallimard, 1964.

BYA, Joseph, « Un simulacre du monde », *Ecriture 1968*, Verviers, 1968, p. 15-18.

CAILLOIS, Roger, *le Roman policier*, Buenos-Aires, Sur, 1941.

— *Puissances du roman*, Marseille, Sagittaire, 1942. (Sur la littérature de masse et le roman policier notamment.)

CAZALS, Henri, « Permanence du roman feuilleton », *l'Education nationale*, Paris, 10 novembre 1966, p. 22-24.

— « Le roman policier est-il un genre littéraire ? », *l'Education nationale*, Paris, n⁰ 21, 3 juin 1965, p. 20-22.

CHANDLER, Raymond, « Le crime est un art simple », *La Rousse rafle tout*, Paris, La Nouvelle Edition, 1949 (traduction.)

CHARLES-BRUN, J., *le Roman social en France au XIXᵉ siècle*, Paris, Giard et Brière, 1910.

CHASTAING, Maxime, « le Roman policier « classique », *Journal de psychologie normale et pathologique*, juillet-septembre 1967, p. 313-342.

CHEVALIER, Louis, *Classes laborieuses et classes dangereuses à Paris pendant la première moitié du XIXᵉ siècle*, Paris, Plon, 1958.

CLARKE, A.-C., « Défense et illustration de la science-fiction », *le Courrier de l'Unesco*, Paris, vol. XV, n⁰ 11, 1962, p. 14-17.

CLAUDIN, Gustave, *le Timbre Riancey*, Paris, Dumisseray, 1850.

CLÉBERT, J.-P., « Canaille en soutane », *Bizarre*, Paris, n⁰ 2, 1955, p. 337 et suiv. (Sur le roman populaire anticlérical.)

COCHIN, Jacques, *l'Imagination ethnologique dans la science-fiction, bestiaire et prodiges civilisés*, Paris, 1968, thèse du troisième cycle.

COLIN, Jean-Pierre, « De l'approche stylistique d'un mauvais genre littéraire, le roman policier », *Linguistique et littérature*, Paris, Nouvelle Critique, 1968, p. 164-170.

« Les Comics », *la Méthode*, Paris, n⁰ 10, 1963.

« Communication et culture de masse », *Diogène*, Paris, n⁰ 68, 1969.

CORBEL, Danielle, *Roman d'espionnage et science politique*, Paris, Faculté de droit et des sciences économiques, 1963, mémoire de D. E. S.

COULONGES, Georges, *la Chanson en son temps*, Paris, Editeurs français réunis, 1969.

DELEUZE, Gilles, « Philosophie de la série noire », *Arts et loisirs*, Paris, n° 18, 1966, p. 12-13.

DIFFLOTH, Gérard, *la Science-fiction*, s. l., Gamma-Presse, 1964.

DOREMIEUX, Alain, « la Science-fiction massacrée », *Fiction*, Paris, n° 113, avril 1963.

DOUTREPONT, Georges, *les Types populaires de la littérature française*, Bruxelles, Dewit, 1926, 2 vol.

DUBEUX, Albert, « le Roman policier », *Revue des Deux Mondes*, 15 août 1959, p. 689-699.

DUBOIS, Jacques, « Simenon et la déviance », *Littérature*, Paris, n° 1, 1971.

DUBOIS, Georges, *le Colportage des livres particulièrement dans la Seine-Inférieure de 1815 à 1870*, Rouen, Sainé, 1939.

DUCHARTRE, Pierre-Louis et René SAULNIER, *l'Imagerie populaire ; les images de toutes les provinces françaises du XVe siècle au second Empire. Les complaintes, contes, chansons, légendes qui ont inspiré les imagiers*, Paris, Librairie de France, 1925.

DUVEAU, Georges, *la Vie ouvrière en France sous le second Empire*, Paris, Gallimard, 1946 (cf. notamment p. 434-486).

ECO, Umberto, « Rhétorique et idéologie dans *les Mystères de Paris* », *Revue internationale des sciences sociales*, n° 4, 1967, p. 591-609.

EIZYKMAN, M. R., *Science-fiction et capitalisme*, Paris, Mame, 1973.

ELSEN, Claude, « Du roman policier au roman noir », *NRF*, vol. 1, n° 3, 1953, p. 532-536.

ÉMELINA, Jean, « Pour une critique de la littérature populaire », *Annales de la faculté des lettres de Nice*, n° 2, 1969, p. 49-57.

Entretiens sur la paralittérature, Paris, Plon, 1970. (Interventions à un colloque tenu à Cérisy en 1967.)

ÉRISMANN, Guy, *Histoire de la chanson*, Paris, Pierre Waleffe, s. d.

ERNOULT, Claude, « Science-fiction et rhétorique des idées », *Bizarre*, Paris, n° 2, 1955.

ESCARPIT, Robert, édit., *le Littéraire et le social*, Paris, Flammarion, 1970, *partim*.

ÉTIENNE, Servais, *le Genre romanesque en France depuis l'apparition de la Nouvelle Héloïse jusqu'aux approches de la Révolution*, Bruxelles, Lamertin, 1922.

Europe, n° 139-140, 1957 : voir à « la Science-fiction... ».

EVANS, D. O., *le Roman social sous la monarchie de Juillet*, Paris, Presses universitaires de France, 1930.

Fantômas, c'est Marcel Allain, Jarnac, la Tour de feu, 1966.

FOSCA, François, *Histoire et technique du roman policier*, Paris, Nouvelle Revue critique, 1937.

— *les Romans policiers*, Namur, Wesmael-Charlier, 1964.

FRÉGIER, H.-L., *Des classes dangereuses de la population*, Bruxelles, Méline, 1840, troisième partie, chap. XII (sur les lectures populaires).

FRÈRE C. et N. PHÉLOUZAT, « les Bandes dessinées », *Mass-media*, vol. I, Paris, Bloud et Gay, 1966.

FRONVAL, George, « Fascicules et brochures populaires d'autrefois », *Phénix*, n° 2 et 3, 1967.

FRYDRYCHA, Anna, « Problèmes concernant le roman-fleuve », *Zagadnienia Rodzajów Literackich*, Łódz, n° 20, 1968.

FUZELIER, Étienne, « La science-fiction a-t-elle une valeur éducative ? » *l'Anneau d'or*, Paris, n° 126, 1965, p. 452-459.

GALICHET, François, « Epistémologie de Sherlock Holmes », *Critique*, n° 273, 1970, p. 115-123.

GANNE, Gilbert, *Messieurs les bestsellers*, Paris, Perrin, 1966.

GATTEGNO, Jean, *la Science-fiction*, Paris, P. U. F., « Que sais-je ? », 1971.

GAUTHIER, André, *les Chansons de notre histoire*, Paris, Pierre Waleffe, 1967. (Anthologie commentée.)

GEORGE, François, « Critique de la culture populaire », *Cahiers des saisons*, Paris, vol. VIII, n° 37, 1964-1965, p. 180-186.

GEORLETTE, René, « A propos du roman policier français contemporain », *la Fenêtre ouverte*, Bruxelles, n° 55, avril 1965, p. 99-118. (Même article en brochure, Wemmel, 1965.)

— *le Roman feuilleton français*, Bruxelles, 1955.

— « le Roman populaire féminin à l'époque contemporaine », *la Fenêtre ouverte*, Bruxelles, n° 47, 1961, p. 84-100.

— *la Science-fiction dans la littérature française*, Wemmel, 1965.

GOUGAUD, Henri, *Démons et merveilles de la science-fiction*, Paris, Julliard, 1974.

GRAMSCI, Antonio, *Œuvres choisies*, Paris, Editions sociales, 1959, IVe partie (sur la littérature populaire française en Italie).

GRITTI, Jules, *Culture et techniques de masse*, Tournai, Castermann, 1967.

GUIOMAR, M., « Pour une poétique de la peur », *Problèmes*, n° 74-75, 1961, p. 90-104.

HALIMI, André, *On connaît la chanson*, Paris, Editions de la Table ronde, 1960.

HANOCK, Robert, « la Vogue du roman policier », *Monde nouveau*, Paris, vol. IV, n° 10, 1948, p. 104-108.

HERBERT, Michel, *la Chanson à Montmartre*, Paris, Editions de la Table ronde, 1967.

« Hommage à Gaston Leroux », *Bizarre*, Paris, n° 1, 1953.

HOVEYDA, Fereydoun, *Histoire du roman policier*, Paris, Editions du Pavillon, 1965. (Voir aussi *Petite histoire du roman policier*, même éditeur, 1956.)

HUMPHREY, George, « *Victor ou l'Enfant de la forêt* et le roman terrifiant », *French Review*, vol. XXXIII, 1959, p. 137-146.

JARBINET, Georges, *les Mystères de Paris d'Eugène Sue*, Paris, Société française d'éditions littéraires et techniques, s. d.

JEAN-NESMY, Dom Claude, « le Roman populaire du XIXe siècle, besoin latent de notre société », *Livres et lectures*, Issy, septembre 1964.

Jean Ray, Paris, Opta, 1964.

JOASSIN, Lambert, « Psychanalyse de la série noire », *Education et enseignement*, mai-juillet 1962.

JOHANNET, René, *l'Evolution du roman social au XIXe siècle*, Reims, Action populaire, 1910.

JOUGUELET, Pierre, « Scènes de la vie galactique », *l'Esprit des lettres*, n° 1, janvier 1955.

KAËS, René, *Images de la culture chez les ouvriers français*, Paris, Cujas, 1968.

KLEIN, Gérard, « la Science-fiction est-elle une subculture ? », *Exposition internationale de science-fiction*, Paris, 1967.

KLEIN, Gérard, *l'Utopie moderne*, Paris, 1957 (thèse de sciences politiques).

LACASSIN, Francis, *Mythologie du roman policier*, Paris, Union générale d'édition, 1974, 2 vol.

L'ÉTANG, E.-A. de, *le Colportage. L'instituteur primaire et les livres utiles dans les campagnes*, Paris, 1865.

« Littérature et sous-littérature », *Bulletin du séminaire de littérature générale*, Bordeaux, n° 10, 1963.

« Littérature populaire », notice, dans *Histoire des littératures*, III, Paris, Gallimard, « Encyclopédie de la Pléiade », 1958.

Littérature savante et littérature populaire, Paris, Didier, 1964.

LOCARD, Edmond, *Policiers de roman et de laboratoire*, Paris, Payot, 1924.

LOISNE, Menche de, *Influence de la littérature française de 1830 à 1850 sur l'esprit public et les mœurs*, Paris, Garnier, 1852.

« Maîtres du roman populaire », chronique, dans *les Nouvelles littéraires*, juillet 1931.

MANDROU, René, *De la culture populaire aux XVIIe et XVIIIe siècles. La bibliothèque bleue de Troyes*, Paris, Stock, 1964.

MARNY, Jacques, *la Chanson et ses vedettes*, Paris, Editions du Centurion, 1965.

— *le Monde étonnant des bandes dessinées*, Paris, Editions du Centurion, 1968.

MARX, Karl et Friedrich ENGELS, *la Sainte Famille ou Critique de la critique critique* [*Kritik des kritischen Kritik. Gegen Bruno Bauer und Consorten*], Paris, Editions sociales, s. d., chap. V et VIII.

MASLOWSKI, Igor B., « Une petite histoire du roman noir », préface à Léo MALET, *l'Ombre du grand mur*, Paris, Métal, 1956.

MAUBLANC, René, « Romans policiers et romans populaires », *la Pensée*, Paris, nouvelle série, n° 13, 1947, p. 92-97.

MESSAC, Régis, *le Détective-novel et l'influence de la pensée scientifique*, Paris, Champion, 1929.

— « Dents de vautour et mains de serpents », *les Primaires*, n°s 2, 3, 4, 1935.

MILHAUD, M., « la Femme au miroir du roman populaire », *Europe*, n° 427-428, 1964, p. 108-117.

MIRECOURT, Eugène de, *Fabrique de romans (...)*, Paris, Havard, 1845. (Libelle sur A. Dumas et ses « nègres » ; voir, par E. M., une étude sur Paul de Kock [1854] et une autre sur Paul Féval [1855].)

MONNIER, Henry, *le Roman chez la portière* (1829), repris dans *Mémoires de M. Joseph Prudhomme*, Paris, Mercure de France, 1939.

MOODY, John, *les Idées sociales d'Eugène Sue*, Paris, Presses universitaires de France, 1938.

MORAND, Paul, « Réflexions sur le roman policier », *Revue de Paris*, 1er avril 1934.

MORIN, Edgar, *l'Esprit du temps. Essai sur la culture de masse*, Paris, Grasset, 1962.

— « le Roman policier dans l'imaginaire moderne », *la Nef*, Paris, vol. XVI, n° 31, octobre 1959, p. 69-70.

MOUFFLET, André, « le Style du roman feuilleton », *Mercure de France*, 1er février 1931.

NARCEJAC, Thomas, *le Cas Simenon*, Paris, Presses de la Cité, 1950.

— *Esthétique du roman policier*, Paris, Le Portulan, 1947.

— *la Fin d'un bluff. Essai sur le roman policier noir américain*, Paris, Le Portulan, 1949.

NARCEJAC, Thomas, *le Roman policier*, Paris, Payot, 1964. (Avec Pierre Boileau.)

NETTEMENT, Alfred, *Etudes critiques sur le feuilleton-roman*, Paris, Perrodil, 1844-1845, 2 vol., in-4º.

NISARD, Charles, *Histoire des livres populaires ou de la littérature de colportage depuis l'origine de l'imprimerie jusqu'à l'établissement de la Commission d'examen des livres de colportage*, Paris, 1854. (Republication anastatique, Paris, Maisonneuve et Larose, 1968.) (On verra aussi : *la Muse pariétaire et la muse foraine*, Paris, 1863.)

NORIEY, P., « le Roman-feuilleton », *le Crapouillot*, Paris, mars-avril 1934. (Voir aussi, de P. N., « la Chanson populaire » dans le numéro de juillet 1934.)

PARINAUD, André, *Connaissance de Georges Simenon*, Paris, Presses de la Cité, 1957, 2 vol.

PESKÉ, Antoinette et P. MARTY, *les Terribles*, Paris, F. Chambriand, 1951. (Sur Marcel Allain, Maurice Leblanc et Gaston Leroux.)

PESQUEUR, Jean, « Technique et aventure : la science-fiction », *Etudes*, avril 1957, p. 48-62.

Le Phénomène San-Antonio. Une forme de roman noir au XIXᵉ siècle, Bordeaux, I. L. T. A. M., 1965.

PINGAUD, Bernard, « la Mauvaise Encre », chronique dans *les Lettres nouvelles*, Paris, 1959.

PLEYNET, Marcelin, « Pratique d'Eugène Sue », *Théorie d'ensemble*, Paris, Seuil, 1968, p. 326-337.

PYAT, Félix, « Souvenirs littéraires », *Revue de Paris et de Saint-Petersbourg*, février 1888.

« Quelques aspects d'une mythologie moderne », *Cahiers du Sud*, Marseille, nº 310, 1951, et nº 317, 1953.

RADINE, Serge, *Quelques aspects du roman policier psychologique*, Genève, Paris, Mont-Blanc, 1961.

RENARD, Maurice, « Du merveilleux scientifique », *le Spectacle*, Paris, octobre 1909.

RENARD-CHEINISSE, Christine, *Etude des phantasmes dans la littérature de science-fiction*, Paris, 1967, thèse de psychologie.

— « les Problèmes religieux dans la littérature dite de science-fiction », *Archives de sociologie des religions*, Paris, nº 25, 1968, p. 141-152.

REYBAUD, Louis, *Jérôme Paturot à la recherche d'une position sociale*, Paris, Poulin, 1842, *partim*.

RICHARD, J.-P., « Petites Notes sur le roman policier », *le Français dans le monde*, nº 50, juillet-août 1967, p. 23-38.

RIESS, Curt, *Naissance des best-sellers*, Paris, Trévise, 1967. (Traduit de l'allemand.)

ROCHE-MAZON, Jeanne, *Autour des contes de fées*, Paris, Didier, 1968.

« Roman policier et réalité sociale », *Ecriture 68*, Liège, 1968.

« Le Roman populaire. Dossier. », *Quinzaine littéraire*, 1-31 août 1971.

SADOUL, Jacques, *l'Enfer des bulles*, Paris, J.-J. Pauvert, 1968. (Sur la bande dessinée érotique.)

— *Histoire de la science-fiction moderne, 1911-1971*, Paris, Albin-Michel, 1973.

SAINT-PIERRE, Michel de, « Réflexions sur le roman policier », *Monde nouveau*, Paris, vol. nº 43, 1950, p. 103-112.

« La Science-fiction », *Europe* nº 139-140, 1957.

SECHÉ, A. et J. BERTAUD, *Tuons les morts, ou le Roman-feuilleton contre la littérature*, Paris, Grasset, 1908. (Sur la question des droits d'auteur.)

SÉJOURNÉ, Philippe, *Aspects généraux du roman féminin en Angleterre de 1740 à 1800*, Paris, Ophrys, 1966.

SEGUIN, J.-P., *Nouvelles à sensation. Canards du XIXᵉ siècle*, Paris, Armand Colin, « Kiosque », 1959. (Cf. aussi *Canards du siècle passé*, Paris, Pierre Horay, 1969.)

SICLIER, J. et A. S. LABARTHE, *Images de la science-fiction*, Paris, Editions du Cerf, 1958.

SPRIEL, S. et Boris VIAN, « Un nouveau genre littéraire, la science-fiction », *Temps modernes*, vol. VII, n° 72, 1951, p. 618-627.

STERNBERG, Jacques, *Une succursale du fantastique nommé science-fiction*, Paris, Le Terrain vague, 1958.

STOVER, Léon E., *la Science-fiction américaine*, Paris, Aubier-Montaigne, 1972.

SULLEROT, Evelyne, *Bandes dessinées et culture*, s. l., Opera Mundi, s. d.

— « Photoromans et œuvres littéraires », *Communications*, n° 2, 1961, p. 77 et suiv.

— *la Presse féminine*, Paris, Armand Colin, « Kiosque », 1963, notamment p. 127 et suiv.

SWITZER, Richard, *E.-L. de Lamothe Langon et le roman populaire français de 1800 à 1830*, Toulouse, Privat, 1963.

TCHENG, Houang-Kia, « le Roman policier », *Problèmes du roman*, Bruxelles, Le Carrefour, 1945.

THÉRIVE, André, « l'Infralittérature », *Table ronde*, Paris, n° 148, avril 1960, p. 181-185.

TODOROV, Tzvetan, « Typologie du roman policier », *Paragone*, Florence, n° 202, décembre 1966, p. 1-14.

TORTEL, Jean, « le Roman populaire », *Histoire des littératures*, III, Paris, Gallimard, « Encyclopédie de la Pléiade », 1958, p. 1579-1603.

TOURTEAU, J.-J., *D'Arsène Lupin à San-Antonio*, Paris, Mame, 1973.

TOUTTAIN, André, « le Dossier de la science-fiction », *les Nouvelles littéraires*, décembre 1968, p. 6-7.

TRESCH, Mathias, *Evolution de la chanson française, savante et populaire*, Paris et Bruxelles, La Renaissance du livre, 1926, 2 vol.

UNRUG, Marie-Christine, *Etude psycho-sociale de la littérature dite de science-fiction*, Paris, 1963, D. E. S. de lettres.

VALCONSEIL, Alphonse de, *Revue analytique et critique des romans contemporains*, Paris, Garnier, 1845, 2 vol.

VAN DINE, S. S., « les « Vingt Règles » du roman policier », *Mystère-magazine*, n° 38, mars 1951.

VAN HERP, Jacques, *la Science-fiction*, Verviers, Gérard-Marabout, 1973.

VERBRUGGEN, Pierre, *la Bande dessinée*, numéro spécial du *Bibliothécaire*, s. l., vol. XI, 1972.

VERSINS, Pierre, *Encyclopédie de l'utopie et de la science-fiction*, Lausanne, L'Age d'Homme, 1972.

VIAN, Boris, *En avant la zizique et par ici les gros sous*, Paris, Le Livre contemporain, 1958.

WOOD, John S., *Sondages 1830-1848. Romanciers français secondaires*, Toronto, Toronto University Press, 1965.

WOLLHEIM, Donald, *les Faiseurs d'univers, la science-fiction aujourd'hui*, Paris, Laffont, 1974.

ZIEGLER, Ginette, « la Femme et le roman policier », *Europe*, n° 427-428, 1964, p. 103-108.

Quelques revues qui touchent à la paralittérature *

Ailleurs, Lausanne, Futopia, 1963.

Arts et traditions populaires, Paris, Musée national des arts et traditions populaires, 1953.

Cahiers Jean Ray, Anvers, 1970.

Communications, Paris, Centre d'étude des communications de masse, Seuil, 1961.

Le Discours social, Bordeaux, Ducros, et Paris, Galilée, 1970.

Documents du Centre d'étude de la paralittérature, Montréal, 1969-1970.

Giff-Wiff, Paris, C. E. L. E. G., 1962.

Phénix, Paris, SOCERLID, 1966.

Quai des Orfèvres, Nanterre, 1967.

II — PUBLICATIONS IMPORTANTES EN LANGUES ÉTRANGÈRES

ALTICK, Richard D., *The English Common Reader. A Social History of the Mass Reading Public 1800-1900*, Chicago et Londres, 1957.

AMIS, Kingsley, *New Maps of Hell*, Londres, W. Gollancz, 1961.

AMOROS, A., *Sociologia de una novela rosa*, Madrid, 1968.

APPEL, B., *The Fantastic Mirror. Science Fiction across the Ages*, New York, Random House, 1969.

BARMEYER, E., Edit., *Science-fiction, Theorie und Geschichte*, Munich, W. Fink Verlag, 1972.

BAUER, Rudolf, *Der historische Trivialroman in Deutschland im ausgehenden XVIII. Jahrhundert*, Munich, 1930, thèse.

BAYER, Dorothee, *Der triviale Familien — und Liebesroman im XX. Jahrhundert*, Tübingen, 1963.

BEAUJEAN, M., *Der Trivialroman in der zweiten Hälfte des XVIII. Jahrhundert*, Bonn, H. Bouvier, 1964.

BECKER, Stephen, *Comic Art in America. A Social History of the Funnies, the Political Cartoons, Magazine Humour, Sporting Cartoons, and Animated Cartoons*, New York, Simon and Schuster, 1959.

BLISH, James, *The Issue at Hand*, Chicago, Advent Publ., 1964.

BOATRIGHT, M. C., « The Beginning of Cowboy Fiction », *Southwest Review*, 51, 1966, p. 11-28.

BODE, Carl, *The Half World of American Culture. A Miscellany*, Carbondale, Southern Illinois University, 1965.

BRAGIN, Charles, *Dime Novels, 1860-1964*, New York, Dime Novels Club, 1964.

---

* La plupart des articles utiles de ces revues n'ont pas été repris plus haut.

BRECHT, Bertold, « Kehren wir zum Kriminalroman zurück ! », *Schriften zur Literatur und Kunst*, Œuvres complètes, t. XVIII, Francfort, 1967.

BROWN, H. R., *The Sentimental Novel in America 1789-1860*, Durham (N. C.), 1940.

BURACK, A. S., *Writing Detective and Mystery Fiction*, Boston, The Writing, 1967.

BURGER, H., publ., *Studien zur Trivialliteratur*, Francfort, V. Klostermann, 1968. (Avec une bibliographie générale, domaine allemand).

CAPANNA, Pablo, *El Sentido de la ciencia ficción*, Buenos-Aires, Columba Editorial, 1966.

Il caso Bond, Milan, 1965. (Sur I. Fleming et *James Bond*).

CLARKE, I. F., *The Tale of the Future*, Londres, The Library Association, 1961. (Cf. aussi : *Voices prophecying war*, Oxford, 1966.)

DALZIEL, Margaret, *Popular Fiction Hundred Years ago. An Unexplored Track of Literary History*, Londres, Cohen and West, 1957.

DAVENPORT, Basil, Edit., *The SF Novel Imagination and Social Criticism*, Chicago, 1964.

DE HAAN, Tjaard Wiebo Renzo, *Volk en Dichterschap. Over de Verhouding tussen Volksliteratur en officiële Literatur*, Anvers, Standaard, 1950.

DEL MONTE, Alberto, *Breve Storia del romanzo poliziesco*, Bari, Laterza, 1962.

DESCHNER, Karlheinz, *Kitsch, Konvention und Kunst. Eine literarische Streitschrift*, Munich, 1957.

EDLER, Erich, *Eugène Sue und die Deutsche Mysterienliteratur*, Berlin, Rother, 1932.

Extrapolation, Wooster (Ohio), 1959.

FLESSAU, Kurt, *Der Moralische Roman. Studien zur Gesellschaftskritischen Trivialliteratur des Goethezeit*, Cologne, Böhlau, 1968.

FRANKLIN, Howard B., *Future Perfect : American SF of the XIX Century*, New York, 1966.

GASCA, Luis, *Tebeo y cultura de masas*, Madrid, Prensa Española, 1966.

GERTEIS, W., *Detektive. Ihre Geschichte im Leben und in der Literatur*, Munich, Heimeran, 1953.

GIESZ, Ludwig, *Phänomenologie des Kitsches. Ein Beitrag zur anthropologischen Ästhetik*, Heidelberg, 1960.

GILBERT, Michael, *Crime in Good Company. Essay on Criminals and Crime Writing*, Londres, Constable, 1959.

GREINER, Martin, *Die Entstehung der Modernen Unterhaltungsliteratur. Studien zum Trivialroman des XVIII. Jahrhundert*, Reinbek, Rowohlt, 1964.

HAAS, Willy, « Die Theologie im Kriminalroman », *Gestalten*, Berlin, Francfort-sur-le-Main et Vienne, 1962.

HACKETT, Alice P., *Fifty Years of Bestsellers*, New York, Bowker, 1945.

HAGEN, Ordean A., *Who done it ? A Guide to Detective Mystery and Suspense Fiction*, New York, Bowker, 1969.

HARPER, Ralph, *The World of the Thriller*, Cleveland, Case Western Reserve University, 1969.

HART, J.-D., *The Popular Book. The Social Background of our Popular Reading*, Oxford University Press, 1950.

HAYCRAFT, Howard, *The Art of the Mystery Story. A Collection of Critical Essays*, New York, Simon and Schuster, 1946.

HAYCRAFT, Howard, *Murder for Pleasure. The Life and Times of the Detective Story*, Londres, Davis, 1962.

HILLEGAS, M. R., *The Future as Nightmare*, New York, Oxford University Press, 1967.

HOEL, M., *Villain Galore. The Heyday of the Popular Story Weekly*, New York, 1954.

HOGARTH, Basil, *Writing a Thriller for Profit. A Practical Guide*, Londres, A. & C. Black, 1936.

HOGGART, Richard, *The Use of Literacy. Aspects of Working-class Life, with Special References to Publications and Entertainment*, Londres, Chatto and Windus, 1957.

JAMES, Louis, *Fiction for the Workingman, 1830-1850*, Londres, Oxford University Press, 1963.

JOHANNSEN, Albert, *The House of Beadle and Adams and its Dime and Nickel Novels. The Story of a Vanished Literature*, University of Oklahoma Press, 1950.

Journal of Popular Culture, Bowling Green, Ohio, 1966.

KILLY, Walter, *Deutcher Kitsch*, Göttingen, Vandenhoeck et Ruprecht, 1966.

KLEIN, Albert, *Die Krise des Unterhaltungsroman im XIX. Jahrhundert. Ein Beitrag zur Theorie und Geschichte der ästhetisch-geringwertingen Literatur*, Bonn, Bouvier, 1969.

KNIGHT, Damon, *In Search of Wonder. Essays on Modern Science Fiction*, Chicago, Advent Publ., 1960.

KREUZER, Helmut, « Trivialliteratur als Forschungsproblem », *Deutsche Vierteljahrsschrift für Literaturwissenschaft und Geistesgeschichte*, nº 41, 1967, p. 173-191.

— Edit., *Trivialliteratur und Medienkunde*, numéro spécial du *Zeitschrift für Literaturwissenschaft und Linguistik*, nº 6, 1972.

LANGENBUCHER, Wolfgang, *Der aktuelle Unterhaltungsroman. Beiträge zur Geschichte und Theorie der Massenhaft verbreiteten Literatur*, Bonn, Bouvier, 1964.

LAWS, Frederick, *Made for Millions. A critical Study of the New Media of Information and Entertainment*, Londres, Contact, 1947.

LEAVIS, Q. D., *Fiction and the Reading Public*, Londres, Chatto and Windus, 1932.

LIECHTENSTEIN, Alfred, *Der Kriminalroman*, Munich, 1958.

LOTH, David, *The Erotic in Literature*, New York, Julian Messner, 1961.

LOWENTHAL, Leo, *Literature, Popular Culture and Society*, Englewood Cliffs, Prentice-Hall, 1961.

MARCH, Harold, *Frédéric Soulié, Novelist and Dramatist of the Romantic Period*, New Haven, Yale University Press, 1931.

MARSCH, Edgar, *Die Kriminalerzählung. Theorie. Geschichte. Analyse*, Munich, Winkler, 1972.

MAUGHAM, W. Somerset, « Decline and Fall of the Detective Story », *The Vagrant Mood, Six Essays*, Londres, Heinemann, 1952.

MAYO, Robert D., *The English Novel in the Magazines, 1740-1815*, Londres, Oxford University Press, 1962.

MERTNER, Edgar et Herbert MAINUSCH, *Pornotopia. Das Obszöne und die Pornographie in der Literarischen Landschaft*, Francfort, Athenäum, 1970.

MIRA, J. J., *Biografía de la novela policíaca*, Barcelone, A. H. R., 1955.

MOORE, Patrick, *Science and Fiction*, Londres, Harrap, 1957.

MOSKOWITZ, Sam, *Explorers of the Infinite. Shapers of Science Fiction*, Cleveland, The Word Publishing Co., 1963.

MOTT, F. Luther, *Golden Multitudes. The Story of Bestsellers in the United States*, New York, Macmillan, 1947.

MURCH, A. E., *The Development of the Detective Novel*, New York, Greenwood Press, 1968.

NOWAK, Emilia, « Literature and Mass Culture. An Attempt to define Mass Culture through the Structure of Literary Work », *Zagadnienia Rodzajów Literackich*, vol. I, n° 2 (17), p. 91-97.

NUTZ, Walter, *Der Trivialroman. Ein Beitrag zur Literatursoziologie*, Cologne, Westdeutscher Verlag, 1962.

NYE, Russell B., *The Unembarrassed Muse*, New York, Dial Press, 1970.

Of World Beyond. The Science of Science Fiction Writing, Chicago, Advent Publ., 1964.

PEARSON, Edmund L., *Dime Novels, or Following an Old Trail in Popular Literature*, Port Washington, Kennikat Press, 1968. (Boston, 1929).

PHILMUS, Robert, *Into the Unknown : The Evolution of Science Fiction from Francis Godwin to H. G. Wells*, University of California Press, 1970.

PFEIFFER, Hans, *Die Mumie im Glassarg. Bemerkungen zur Kriminalliteratur*, Rudolstadt, Greifenverlag, 1960.

REINERT, Claus, *Das Unheimlich und die Detektivliteratur. Entwurf einer Poetologischen Theorie*, Bonn, Bouvier, 1973.

RITTENHOUSE, J. D., *Dime Novels on Early Oil*, Sierra Madre, Stagecoach, 1951.

RODELL, Marie F., *Mystery Fiction. Theory, Technique*, New York, Hermitage House, 1952.

ROGERS, Alva, *A Requiem for Astounding*, Chicago, Advent Publ., 1964.

ROSENMAYR, Leopold *et al.*, *Kulturelle Interesse von Jugendlichen*, Vienne et Munich, Juventa Verlag, 1966.

SCHENDA, Rudolf, *Volk ohne Buch. Studien zur Sozialgeschichte der Populären Lesestoffe, 1770-1910*, Francfort, V. Klostermann, 1970.

SCHONHAAR, Rainer, *Novelle und Kriminalschema...* Zurich, Gehlen, 1969.

SCHWONKE, M., *Von Staatsroman zur Science Fiction*, Stuttgart, Enke, 1957.

Science Fiction Studies, Terre-Haute, 1972.

SCOTT, Sutherland, *Blood in their Ink. The March of the Modern Mystery Novel*, Londres, S. Paul, 1953.

SHILS, Edward, *Culture for the Millions*, Princeton, Van Nostrand, 1959.

STEVENS, G. *et al.*, *Bestsellers — Are they born or made ?*, s. l., Allen and Unwin, 1939.

STOMPKINS, J. M., *The Popular Novel in England, 1770-1800*, Londres, Methuen, 1969.

STRECKER, Gabriele, *Frauenträume, Frauentränen*, Weilheim/Obb, Barth, 1969.

SUVIN, Darko, « Science Fiction and the Genological Jungle », *Genre*, Chicago et Plattsburg, automne 1973 (traduit dans *Littérature*, 10, 1973).

— « On the Poetics of the SF Genre », *College English*, décembre 1972.

SYMONS, Julian, *The Detective Story in Britain*, Londres, Longmans, Green & Co., 1962.

THOMPSON, Henry Douglas, *Masters of Mystery*, Londres, Collins, 1931.

Transgalaxis Katalog der Deutschprachigen Utopisch-phantastischen Literatur, Friedrichsdorf, Schäfer et Schmidt, 1960.

Trivialliteratur, Aufsätze, Berlin, Literarisches Colloquium, 1964.

TUCK, D. H., *A Handbook of Science Fiction and Fantasy*, Hobart (Tasmanie), l'auteur, 1959.

Warum liest man Kitschromane ?, Berlin, Zentralbibliothek, 1957, polycopié.

WAUGH, Coulton, *The Comics*, New York, Macmillan, 1947.

WHITE, David M. et R. H. ABEL, *The Funnies. An American Idiom*, New York, The Free Press of Glencoe, 1963.

WIEBER, Friedkarl, *Der Deutsche Zeitungsroman im XX. Jahrhundert*, Halle, Niemeyer, 1933.

WINTERSCHEIDT, Friedrich, *Deutsche Unterhaltungsliteratur der Jahre 1850-1860*, Bonn, Bouvier, 1970.

WÖLCKEN, Fritz, *Der Literarische Mord. Eine Untersuchung über die Englische und Amerikanische Detektivliteratur*, Nuremberg, Nest Verlag, 1953.

ANNEXE

A — PRINCIPAUX SUCCÈS POPULAIRES, DU SECOND EMPIRE À L'APRÈS-GUERRE

(Nous n'indiquons pas l'édition puisqu'il s'agit de recenser justement les romans le plus souvent réédités dans toutes les collections qui se sont succédé.)

AIGREMONT, Paul d'	*Mère et martyre* *Pauvre Petiote !*
AIMARD, Gustave	*La Grande Flibuste*
AIMARD et CRISAFULLI	*Les Invisibles de Paris*
ALLAIN, Marcel	**Les Cris de la misère humaine* **Fatala* **Femme de proie* **Miss-Téria* **Les Parias de l'amour* **Tigris*
ALLAIN et SOUVESTRE	**Fantômas* **Naz-en-l'air* **Titi-le-Moblot*
BERNARD, Gabriel	**Satanas [Les Drames de la TSF humaine]*
BERNÈDE, Arthur	*Les Bas-fonds de Chicago* *Cœur de Française* *L'Enfant du pavé* *Flétrie et vengée* *Vampiria*
BERNÈDE, A. L. et FEUILLADE	**Judex*
BOISGOBEY, Fortuné du	*Margot la balafrée* *Les Mystères du nouveau Paris*
BOUSSENARD, Louis	*L'Île en feu...*
BRUANT, Aristide	**L'Alsacienne* **Les Bas-fonds de Paris*

---

* Roman en plusieurs volumes.

CAIN, H. et E. ADENIS

Cadet de Gascogne
De la haine à l'amour
Le Roman de l'Empereur
Une aventure de Vidocq

CHAVETTE, Eugène

Aimé de son concierge

DECOURCELLE, Pierre

Le Crime d'une sainte
Les Deux Gosses
Gigolette
Les Mystères de New York

DUMAS, Alexandre

Le Comte de Monte-Cristo
Les Mohicans de Paris

ENNERY, Adolphe d'

Les Deux Orphelines
Martyre
Le Remords d'un ange

FERRY, Gabriel

Apache et chercheur d'or
Costal l'Indien

FEUILLADE, Louis
(*voir aussi à*
BERNÈDE, Arthur)

Les Deux Gamines [avec P. Cartoux]
Les Vampires [avec G. Meirs]

FÉVAL, Paul

Le Chevalier Ténèbres
*Le Chevalier de Lagardère
Le Fils du Diable
Les Mystères de Londres
Les Nuits de Paris

FÉVAL, Paul (fils)

*Le Fils de Lagardère

FOREST, Louis

On vole des enfants à Paris

GABORIAU, Émile

L'Affaire Lerouge
La Corde au cou
Le Crime d'Orcival
Les Esclaves de Paris
Monsieur Lecoq

GASTYNE, Jules de

Noble et bandit
Le Secret de l'inconnue
Le Supplice d'une mère

GRANDPRÉ, Jules de

Cartouche

GUÉROULT, Constant

La Bande à Fifi Vollard

KOCK, Paul de

La Pucelle de Belleville

LA HIRE, Jean de

*Belzébuth
Les Chasseurs de mystère
Les Drames de Paris

LEBLANC, Maurice

*Les Aventures extraordinaires d'Arsène Lupin

LERMINA, Jules

Le Fils de Monte-Cristo
[J. L. est l'auteur d'une *Histoire de la misère
ou le prolétariat à travers les âges* (1869).]

LEROUX, Gaston

*Aventures de Chéri-Bibi
Le Fantôme de l'opéra
*Le Secret de la chambre jaune
*Le Roi Mystère

MAGOG, H. J.

Les Briseurs d'amour

MARY, Jules

L'Avocat des gueux
Les Briseurs de chaîne
Les Damnées de Paris
La Pocharde
Roger-la-Honte
Le Wagon 303

MÉROUVEL, Charles

Misère et beauté
Ville maudite

MONTÉPIN, Xavier de

Les Enfers de Paris
Les Filles de plâtre
Le Médecin des pauvres
La Porteuse de pain
Sa Majesté l'Argent
Le Vicomte Raphaël

MORPHY, Michel

L'Ange du faubourg
Le Gosse de Paris
*Mignon
*Les Mystères du crime

MORPHY, Michel et
Félix PYAT

Le Chiffonnier de Paris

OHNET, Georges

Le Maître de forges

PONSON DU TERRAIL
(vicomte)

Le Forgeron de la Cour-Dieu
Les Mystères du demi-monde
*Rocambole
*Les romans du progrès

PRIOLLET, Marcel

*Les Bas-fonds du grand monde
*Les Braconniers du cœur
*Les Calvaires de la femme
*Les Nuits de Paris

PYAT, Félix
(*voir* MORPHY, Michel)

RICHEBOURG, Émile

Les Amoureuses de Paris
L'Enfant du faubourg
La Fille maudite
La Petite Mionne

SAZIE, Léon

Le Pouce
Le Masque aux dents blanches
Zigomar

SOULIÉ, Frédéric

Les Mémoires du Diable

SOUVESTRE, Pierre
(*voir à* ALLAIN, M.)

SUE, Eugène

Le Juif errant
Les Mystères de Paris
Les Sept Péchés capitaux

TURPIN de SANSAY, L. A.

La Canaille de Paris
Les Chiffonniers de Paris
Les Échafauds de Paris

ZÉVACO, Michel

L'Héroïne
Pardaillan
Le Pont des soupirs
[M. Z. est également l'auteur des
Jésuites contre le peuple (1899).]

B — LISTE CHRONOLOGIQUE DES ROMANS *
(voir Deuxième partie, chapitre III)

1. *Fantômas*
2. *Juve contre Fantômas*
3. *Fantômas se venge*   [*Le mort qui tue*]
4. *Une ruse de Fantômas*   [*L'Agent secret*]
5. *Un roi prisonnier de Fantômas*
6. *Le Policier Fantômas*   [*Le Policier apache*]
7. *Aux mains de Fantômas*   [*Le Pendu de Londres*]
8. *La Fille de Fantômas*
9. *Le Fiacre de Fantômas*
10. *Fantômas à Monaco*   [*La Main coupée*]
11. *L'Arrestation de Fantômas*
12. *Le Juge Fantômas*   [*Le Magistrat cambrioleur*]
13. *La Livrée de Fantômas*
14. *Fantômas tue Juve*   [*La Mort de Juve*]
15. *Fantômas, roi de crime*   [*L'Évadée de Saint-Lazare*]
16. *Fandor contre Fantômas*
17. *Le Mariage de Fantômas*
18. *Les Amours de Fantômas*   [*L'Assassin de Lady Beltham*]
19. *Un défi de Fantômas*   [*La Guêpe rouge*]
20. *Fantômas rôde...*   [*Les Souliers du mort*]
21. *Le Train de Fantômas*   [*Le Train perdu*]
22. *Fantômas s'amuse*   [*Les Amours d'un prince*]
23. *Le Bouquet de Fantômas*   [*Le Bouquet tragique*]

* Les titres entre crochets sont ceux de l'édition originale (1910-1914).

24. *Fantômas, roi du turf*   [*Le Jockey masqué*]
25. *Le Cercueil de Fantômas*   [*Le Cercueil vide*]
26. *Fantômas contre l'amour*   [*Le Faiseur de reines*]
27. *Le Spectre de Fantômas*   [*Le Cadavre géant*]
28. *Prisonniers de Fantômas !*   [*Le Voleur d'or*]
29. *Fantômas s'évade...*   [*La Série rouge*]
30. *Fantômas accuse !*   [*L'Hôtel du crime*]
31. *Le Domestique de Fantômas*   [*La Cravate de chanvre*]
32. *Fantômas est-il mort ?*   [*La Fin de Fantômas*]
33. *Fantômas est-il ressuscité ?*
34. *Fantômas, roi des receleurs*
35. *Fantômas en danger*
36. *Fantômas prend sa revanche*
37. *Fantômas attaque Fandor*
    [etc.]

TABLE DES MATIÈRES

*Achevé d'imprimer
à Montréal, le 10 avril 1975
par les Presses Elite*

COLLECTION « GENRES ET DISCOURS »
directeurs : MARC ANGENOT et ANDRÉ BELLEAU

Une collection de monographies consacrée à la description morphologique et à l'analyse socio-historique des différents genres littéraires
et, plus généralement, de formations discursives, sans exclusive de
culture ou d'époque.

À la fois lieu de synthèses critiques et source d'hypothèses et d'orientations nouvelles, la collection veut contribuer au développement de
la sémiologie des discours et de l'analyse idéologique.

LE ROMAN POPULAIRE

D'Eugène Sue à **Fantômas,** de la monarchie de Juillet à la Première
Guerre mondiale, une littérature industrielle se développe en marge
de la culture bourgeoise. L'auteur étudie la genèse et l'épanouisse-
ment des formes dominantes du roman populaire, en signale les
variantes importantes et propose une interprétation idéologique de
ces phénomènes.

Trois études, — sur **les Mystères de Paris,** sur le roman « revanchard » et sur **Fantômas,** — sont autant de brefs sondages destinés
à faire apparaître certains problèmes particuliers. Une réflexion
d'ensemble sur la paralittérature s'amorce ici. La bibliographie qui
termine l'essai permet de synthétiser l'état présent des recherches
dans ce domaine.